Lleidr Pen-Ffordd

Highwayman

A NOVEL FOR WELSH LEARNERS

IVOR OWEN

GWASG
GEE

ⓗ Ivor Owen 1974

Gwobrwywyd y nofel hon gan Bwyllgor Addysg
Sir Gaerfyrddin ac yn Eisteddfod Genedlaethol Sir
Benfro, Hwlffordd, 1972, ac fe'i cyhoeddir dan nawdd
Cynllun Llyfrau Cymraeg Cyd-Bwyllgor Addysg Cymru.

Argraffiad cyntaf 1974
Ail argraffiad Medi 2000

ISBN 0 7074 0342 1

Argraffwyd a Chyhoeddwyd gan
WASG GEE, LÔN SWAN, DINBYCH.

This novel is intended for more mature Welsh learners, both students in schools and colleges and adult learners, and contains an abundance of examples of those sentence patterns and verb tenses that candidates for the 03 and CSE3 examinations of the Welsh Joint Education Committee are expected to know. To give them their grammatical names, these patterns include —

(i) adverb clauses with 'pan', 'tra', 'os', 'achos', 'cyn', 'er', etc.,

e.g., Fe symudodd y llanc ifanc, gwyllt hefyd tua'r drws *pan glywodd e'r ferch yn ei alw fe'n Sgweier*
Fe ddyweda i wrth mam *pan ddaw hi*
os ydych chi mor dlawd
Roedd hi'n bwysig hefyd *achos roedd y Sgweier a ffermwyr yr ardal yn dod â'u gwartheg yno*

(ii) adjective clauses of all kinds,

e.g., yr hen ŵr a gwraig *oedd yn gofalu am y Sgweier*
y rhenti *roedd y ffermwyr yn eu talu iddo fe*
Roedd yr Emwnt *brynodd y lle*
y wraig *sy'n cadw'r lle*
bawb *sy yn y goets*
y lleidr pen-ffordd *fydd yn digwydd dod heibio*
y rhaff fawr hir *roedd e wedi ei hongian ar draws y ffordd*
rhywbeth *fydd yn plesio'r Sgweier*
Mawr oedd y croeso *gafodd e*
dyn *sy ddim yn gwybod sut i ymddwyn yn iawn*
yr unig un *allith fynd ar ôl y lleidr*
y lleidr *ddaeth i mewn i'r stafell yma*
a'r peth cyntaf *wnaeth e*
rywbeth *fyddai'n sicr o brofi*
rhywbeth arall *roedd rhaid iddi ei ddweud*
yr unig le *na chwiliodd Sarjant Huws*
fel y boddhad *gaiff mam*
olwg galed *nad oedd yno rai wythnosau yn ôl*

3

(iii) noun clauses containing the 'bod' construction, 'clauses of emphasis' after 'mai' and 'nad', clauses containing the future, conditional and simple past tenses of 'bod', the simple past tense of familiar verbs, and concise forms of present/future tense of a few verbs (footnote translations are given of these since they are less familiar than other tenses). Various forms of 'gallu', and of 'hoffwn' and 'dylwn' are also used in the text,

e.g., Maen nhw'n dweud *ei fod e'n ddyn tal a hardd*
Rydw i'n siŵr *mai Hebog y Nos oedd y lleidr yna*
Gobeithio *na fydd dim rhaid i ni fynd yn ôl yna eto*
Fe ddywedodd e *y byddai fe'n dod ar eich ôl chi eto*
rhaid i mi ddweud *na fyddwn i byth yn disgwyl*
Rhyfedd *na ddaeth e ar ôl yr holl sŵn*
Ydych chi'n meddwl *y gallwn ni fynd yn ôl i'r gwely nawr?*

Translations of all the above examples are given in the appropriate place in the notes at the end of the book.

The verb tenses include the present, imperfect, simple past, future and conditional tenses of 'bod', the simple past tense of familiar verbs, concise forms of the present/future tense of some verbs, and some forms of 'gallu', 'hoffwn' and 'dylwn' as noted above.

Special attention is given in these notes and translations at the end of the novel to those patterns (e.g., 'bod' after 'er' and 'nes') that differ from constructions with comparative meanings in English. Since the novel is intended for mature students with a good knowledge of Welsh some more literary patterns have been introduced and these are noted, by means of translation mostly, at the end of the novel.

4

1

CATRIN EMWNT

'Allan â chi, y moch! Dewch, neu fe fydda i'n rhoi'r ysgub yma ar eich cefnau chi!'

Edrychodd Catrin Emwnt i mewn drwy ddrws agored y stabal gan ddal yr ysgub yn dynn yn ei llaw. Roedd hi'n gwybod yn iawn pwy oedd yno — tri o weision porthmon ar eu ffordd tuag adref i Gaerfyrddin. Roedden nhw wedi gyrru eu gwartheg yr holl ffordd i Fryste, a'u gwerthu nhw yn y farchnad fawr yno. Roedden nhw wedi cael eu talu gan y porthmon, a nawr roedden nhw'n mynd adref gan gerdded drwy'r dydd a chysgu yn rhywle bob nos — ar ôl cael llond bol o gwrw. Ac roedden nhw wedi cael llond bol o gwrw neithiwr, ac wedi dechrau cadw sŵn a rhegi, a cheisio codi ffrae gyda phawb yn y dafarn. O'r diwedd fe fu rhaid i Catrin ofyn am help rhai o'r cwsmeriaid-bob-nos i'w taflu allan. Roedden nhw, y cwsmeriaid, yn ddigon parod i'w helpu hi. Roedden nhw wedi cael llond bol ar y sŵn, a dyma nhw'n cydio yn y tri a'u taflu nhw allan i iard y dafarn a'u gadael nhw yno i sobri. Roedd hi'n noson oer ym mis Hydref, ac roedd y tri wedi sobri digon, ar ôl awr neu ddwy o orwedd ar gerrig oer yr iard, i chwilio am le cynhesach i gysgu. Ac yn y gwair yn un o stablau'r dafarn y cawson nhw le. Roedd hyn yn digwydd yn aml yn hanes

gan ddal yr ysgub — *holding the broom*
ysgub — *besom, broom*
tri o weision porthmon — *three drover's servants*
Bryste — *Bristol*

llond bol — *bellyful*
rhegi — *to swear*
ffrae — *quarrel, affray*
tafarn — *inn*
sobri — *to sober up*
gwair — *hay*

Tafarn y Bedol — gweision y porthmyn ar eu ffordd tuag adref ar ôl gwerthu eu gwartheg, yn yfed gormod ac yna'n chwilio am wely. Yn y stablau roedden nhw'n cael eu gwely gan amlaf.

Fe aeth Catrin i mewn i'r stabal; roedd y tri gwas yn cysgu'n braf ac yn rhochian fel moch yn eu cwsg.

'Dewch, y moch!' gwaeddodd Catrin a chodi'r ysgub yn barod i daro. 'Mae hi'n ddeg o'r gloch, ac yn bryd i chi symud oddi yma.'

Roedd un o'r tri gwas — llanc ifanc — yn gorwedd ar ei fol, ei ben ar ei freichiau, a'i ben-ôl tuag i fyny. Roedd y demtasiwn yn ormod i Catrin. Fe ddaeth yr ysgub i lawr yn drwm ar y pen-ôl!

'Aw . . . a . . . aw!' gwaeddodd perchen y pen-ôl gan ddeffro'n sydyn a throi ar ei eistedd. Fe saethodd poenau cwrw'r noson cynt drwy ei ben e, a phoenau'r ysgub drwy ei ben-ôl. Beth oedd wedi digwydd? Edrychodd y gwas o'i gwmpas a gweld dwy esgid fach. Cododd ei lygaid a gweld sgert goch, laes; yna, blows wen a siâp y ddwy fron i'w gweld yn glir ynddi hi; yna, wyneb prydferth a gwallt du fel y frân yn ffrâm iddo. Yn araf fe welodd y llanc y darlun i gyd — merch hardd yn sefyll uwch ei ben e ac ysgub yn ei llaw yn barod i daro unwaith eto.

'Fe drawaist ti fi â'r ysgub yna,' meddai'r llanc gan rwbio'i law ar ei fan tyner.

'Do. Oes eisiau un arall arnat ti?' gofynnodd Catrin. 'Dewch, y tri ohonoch chi! Mae'n bryd i chi symud tuag adref. Fe gawson ni lond bol arnoch chi neithiwr. Does arnon ni mo'ch eisiau chi o gwmpas y lle yma heddiw eto.'

Ond nid un i dderbyn ei daro gan neb, gan ddyn na dynes, heb dalu'n ôl oedd y llanc. Roedd e'n ifanc ond roedd e wedi byw bywyd caled a garw y gyrwyr gwartheg

gan amlaf — *mostly*
rhochian — *to grunt*
llanc — *youth*
poen(au) — *pain(s)*
yn bryd i chi symud — *time for you to move*

gwartheg — *cattle*
llaes — *long, flowing*
perchen — *owner*
gan neb — *from anyone, by anyone*

am rai blynyddoedd, ac roedd e wedi bod mewn llawer ffrae mewn llawer lle ar ei ffordd rhwng Cymru a Lloegr.

'Mae'n well i ti roi'r ysgub yna i lawr,' meddai fe gan regi wedyn a chodi'n araf ar ei draed. Cerddodd gam neu ddau at Catrin. Fe aeth Catrin gam neu ddau yn ôl allan i'r iard, ac yna, sefyll.

'Un cam arall,' meddai hi, 'ac fe fydd yr ysgub yma ar ochr dy ben di.'

Doedd geiriau Catrin ddim yn ddigon i stopio'r llanc. Fe ddaeth e gam ymlaen. Fe gadwodd Catrin ei gair. Fe drawodd hi fe ar ochr ei ben, ac fe syrthiodd e'n fflat ar ei gefn ar gerrig yr iard. Roedd ei sŵn e wedyn yn ddigon i ddeffro'r ddau gyfaill yn y gwair yn y stabal, ac roedd rhaid iddyn nhw godi a dod allan i weld beth oedd yn bod. Roedd poenau cwrw'r noson cynt yn saethu drwy eu pennau nhw hefyd, ond roedd rhaid iddyn nhw chwerthin pan welson nhw eu cyfaill ar ei gefn ar gerrig yr iard a merch y dafarn yn sefyll uwch ei ben e a'r ysgub yn ei llaw.

Gwylltiodd y llanc yn fwy wrth glywed ei gyfeillion yn chwerthin am ei ben, a dyma fe'n rhuthro tuag at Catrin. Roedd Catrin yn barod i droi a rhedeg yn ôl i'r tŷ, ond y munud hwnnw, dyma ŵr ar gefn ceffyl mawr hardd yn dod i mewn i'r iard. Gŵr golygus tua deg ar hugain oed oedd e, ac yn amlwg yn ŵr bonheddig. Fe welodd e ar unwaith beth oedd yn bod. Roedd y ferch yn cael trwbwl gyda'r llanc gwyllt yma — gwas porthmon, mae'n siŵr. Roedd e wedi gweld ei debyg o gwmpas Y Bedol ac mewn llawer lle arall yn ddigon aml o'r blaen. Rhai parod iawn i godi ffrae oedden nhw.

'Cael trwbwl, Catrin?' gofynnodd y gŵr bonheddig gan neidio'n ysgafn i lawr o gefn ei geffyl. Roedd e'n gwisgo côt fawr, laes ffasiynol, ac roedd het dri-chornel am ei ben. Ond nid ar y gôt na'r het roedd y llanc gwyllt yn edrych, ond ar y chwip yn llaw y dyn. Fe safodd e lle roedd e, ac fe

cam — *step*
gwylltio — *to get wild, to become angry*

golygus — *handsome*
gŵr bonheddig — *gentleman*
ci debyg — *his like*

7

droiodd Catrin i wynebu'r gŵr bonheddig. Fe ddaeth gwên i'w hwyneb hi. Roedd hi'n amlwg yn falch o'i weld e.

'Wel, oeddwn, syr. Roeddwn i'n cael trwbwl i symud y tri gwas porthmon yma. Roedden nhw'n cysgu yn y stabal ar ôl yfed gormod o gwrw neithiwr. Maen nhw ar eu ffordd adref i Gaerfyrddin ar ôl bod ym Mryste, medden nhw neithiwr. Ond fyddan nhw ddim yn rhoi rhagor o drwbwl, diolch i chi, Sgweier Fychan.'

Na, doedd dim un o'r tri gwas yn debyg o roi rhagor o drwbwl. Roedd dau ohonyn nhw wedi symud cam neu ddau yn gyflym tua drws mawr yr iard y munud y gwelson nhw'r gŵr bonheddig yn dod i mewn. Fe symudodd y llanc ifanc, gwyllt hefyd tua'r drws pan glywodd e'r ferch yn ei alw fe'n sgweier. Roedd e'n gwybod mor bwysig oedd y sgweier ymhob ardal. Roedd e'n gallu gyrru dyn i'r ddalfa, dim ond dweud y gair, a doedd arno fe ddim eisiau treulio noson yn y ddalfa nawr. Fe symudodd e'n araf a thawel at ei ddau gyfaill.

'I ffwrdd â chi,' meddai'r Sgweier, 'neu fe fydd y chwip yma ar eich cefnau chi.'

Doedd dim eisiau dweud dwywaith wrthyn nhw. Fe aeth y tri drwy ddrws mawr yr iard fel tri chi bach, ac i ffwrdd â nhw ar eu ffordd tuag adref.

dalfa — *jail, lock-up*   treulio noson — *to spend a night*

2

SGWEIER FYCHAN

Edrychodd Sgweier Fychan ar y tri gwas yn mynd. Yna fe
droiodd e a gwenu ar y ferch. Doedd e ddim wedi ei gweld
hi ers . . . wel, ers llawer dydd nawr, ers tair wythnos neu
fis, a phob tro roedd e'n ei gweld hi fel hyn o'r newydd,
roedd e'n synnu mor brydferth oedd hi. Roedd yn bleser ei
gweld hi unwaith eto, ei gwallt du cyrliog yn gorwedd yn
gwmwl ar ei hysgwyddau a'r ddau rosyn ar ei dwy foch.
Roedd y ddau rosyn yn gochach y bore yma — o achos y
ffrae gyda'r gwas porthmon neu o achos ei weld e, doedd e
ddim yn siŵr.

'Fe ddaethoch chi mewn pryd, syr, a diolch yn fawr i chi
am eich help,' meddai Catrin. 'Roedd y llanc yna wedi
gwylltio ar ôl i mi ei daro fe â'r ysgub yma.'

'Rydw i'n barod i'ch helpu chi bob amser, Catrin, ac
mae'n bleser eich gweld chi eto,' atebodd y Sgweier gan
godi ei het yn foneddigaidd.

Fe aeth y ddau rosyn yn gochach, a daeth gwên swil i
chwarae o gwmpas gwefusau'r ferch. Oedd e'n wir yn falch
o'i gweld hi, neu dweud rhywbeth roedd e? Fel yna roedd
gwŷr bonheddig yn siarad bob amser. Roedd rhaid iddi hi
gofio mai merch Siân Emwnt o dafarn Y Bedol oedd hi, ac
yntau'n sgweier yr ardal ac yn ŵr bonheddig. Roedd ei
lygaid e arni hi yn ei gwylio'n ofalus. Roedd rhaid iddi
ddweud rhywbeth i dorri'r tawelwch rhyngddyn nhw.

ers — *since, for*
o'r newydd — *anew*
synnu — *to be surprised*
o achos y ffrae — *because of the quarrel*

mewn pryd — *in time*
swil — *shy*
gwefus (au) — *lip(s)*
boneddigaidd — *gentlemanly*

9

'Dydyn ni ddim wedi'ch gweld chi ers wythnosau, Sgweier. Rydych chi wedi bod ar un o'ch teithiau unwaith eto,' meddai hi.

'Ydw, wedi bod yn gweld rhai o fy hen ffrindiau coleg,' atebodd y Sgweier. A dyna beth arall roedd Catrin yn ei gofio. Roedd e'r Sgweier wedi bod yng Ngholeg Crist yn Aberhonddu ac wedyn yn Rhydychen. Fe droiodd hi i siarad am rywbeth arall.

'Sut mae Siencyn a Lowri acw?' gofynnodd Catrin.

Siencyn a'i wraig Lowri oedd yr hen ŵr a gwraig oedd yn gofalu am y Sgweier yn ei dŷ mawr, Pen Twyn, ar ochr y bryn.

'O, maen nhw, fel fi, Catrin, yn dlawd a balch. Ie, tlawd a balch,' atebodd Sgweier Fychan gan wenu.

'Tlawd a balch?' chwerthodd Catrin. 'Rydych chi, Sgweier Pen Twyn, yn falch, ond dydych chi ddim yn dlawd, rydw i'n siŵr.'

'Rydw i'n dweud y gwir, Catrin. Mae mwy o arian gan eich mam, Siân Emwnt, nag sy gen i. Ond fe fydd arian gen i yr wythnos nesa, rydw i'n gobeithio. Fe fydd Wil Dafis y porthmon yn dod adref o Ffair Barnet yr wythnos nesa a llond pwrs o sofrenni melyn ganddo fe . . . gobeithio . . . gobeithio . . .'

Fe gofiodd Catrin beth oedd wedi digwydd y flwyddyn gynt. Doedd y porthmon oedd yn gyrru gwartheg y Sgweier i Lundain ddim wedi dod yn ôl, a chafodd y Sgweier ddim o'i 'lond pwrs o sofrenni melyn'. Chafodd dim un o ffermwyr bach yr ardal mo'i sofrenni melyn chwaith. Doedd neb yn gwybod beth oedd wedi digwydd i'r porthmon. Roedd e wedi cael ei ddal gan ladron ar y ffordd fawr efallai, neu — ac roedd hyn yn fwy tebyg o fod yn wir — roedd e wedi dianc i ran arall o'r wlad i fyw a mynd ag arian y Sgweier a'r ffermwyr gyda fe. I Ferthyr Tudful efallai, lle roedd dyn yn gallu mynd ar goll yn hawdd iawn. Roedd Catrin yn

taith (teithiau) — *journey (s)*
tlawd a balch — *poor but proud*
sofren felen (sofrenni melyn) — *golden (yellow) sovereign(s)*

yn fwy tebyg o fod yn wir — *more likely to be true*
mynd ar goll — *to get lost*

gwybod yn dda fod cyfoeth Sgweier Pen Twyn i gyd yn ei wartheg ac yn y rhenti roedd y ffermwyr yn eu talu iddo fe, fel roedd cyfoeth llawer o sgweieriaid y sir. Roedd Catrin yn gwybod hefyd fod Sgweier Pen Twyn ddim wedi gofyn i'w denantiaid am un geiniog o rent y flwyddyn honno. Roedd e'n gwybod mor dlawd oedden nhw. Roedd ei mam wedi dweud wrthi hi lawer gwaith ei bod hi ddim yn gwybod sut roedd y Sgweier yn gallu byw heb ddim arian am ei waruheg a heb ddim rhent gan ei denantiaid. Ond roedd arian parod ganddo fe yn Y Bedol bob amser. Wel, gobeithio bod Wil Dafis yn fwy gonest na'r hen borthmon. Yna'n sydyn, fe chwerthodd Catrin.

'Pam y chwerthin, Catrin?' gofynnodd y Sgweier.

'Rydw i wedi meddwl am ffordd i chi wneud arian,' meddai hi, 'os ydych chi mor dlawd ag rydych chi'n dweud eich bod.'

'O? Sut?'

'Troi'n lleidr pen-ffordd fel Hebog y Nos,' atebodd Catrin. 'Mae e'n gwneud digon o arian drwy ymosod ar y goets fawr ac ar gerbydau'r bobl gyfoethog. Rydych chi'n gwybod ei hanes e fel mae pawb arall, rydw i'n siŵr.'

'Pwy sy ddim wedi clywed amdano fe?' meddai Sgweier Fychan.

'Maen nhw'n dweud ei fod e'n ddyn tal a hardd, a'i fod e'n gwisgo mwgwd am ei lygaid e, a'i fod e'n cario dau bistol bob amser.'

'Dyna'r darlun o'r lleidr pen-ffordd bob amser, Catrin — gŵr bonheddig, mwgwd, dau bistol . . . a chôt laes hefyd. Peidiwch ag anghofio'r gôt.'

'O, ie, y gôt fawr laes. Maen nhw'n dweud mai côt las sy ganddo fe bob amser. Côt goch sy gennych chi nawr, Sgweier.'

'Wel, rydw i'n dlawd, Catrin, ond mae mwy nag un gôt gen i,' chwerthodd y Sgweier.

---

cyfoeth — *wealth*
troi'n lleidr pen-ffordd — *to be-
    come a highwayman*
ymosod (ar) — *to attack*

y goets fawr — *the stage coach*
cerbyd(au) — *carriages(s)*
mwgwd — *mask*

'Oes, siŵr. Rydw i wedi gweld un las gennych chi hefyd. Ond rydw i'n gobeithio na fydd yr Hebog ddim yn ymosod ar y goets o Aberhonddu heno beth bynnag,' meddai Catrin.

'O? Pam?' gofynnodd Sgweier Fychan.

'Wel, fe fydd hi'n noson olau leuad heno eto, ac mae'r Hebog yn hoff iawn o ymosod pan fydd y lleuad yn llawn, ac fe fydd mam ar y goets heno,' atebodd Catrin.

'O, ie, roeddwn i'n mynd i ofyn i chi ble roedd Siân Emwnt, achos hi sy'n gwybod sut i drin pobl wyllt fel y llanc yna oedd yn mynd i ymosod arnoch chi. A Twmi'r gwas? Ble mae Twmi y bore yma? Dydw i ddim yn ei weld e yn yr iard.'

'Mae Twmi'n brysur yn y tŷ gyda Blodwen. Mae mam yn Aberhonddu ers tri diwrnod yn gweld ei chwaer, ond fe fydd hi'n dod adref heno. Fe fydd hi'n disgwyl gweld y lle fel pin mewn papur, fel gwyddoch chi'n dda.'

'O, fe wn i, Catrin. Fe wn i pa mor falch ydy hi o'r lle.'

'O, ie, dywedwch, syr! Pam roeddech chi'n galw yn Y Bedol mor gynnar y bore yma? Oedd arnoch chi eisiau gweld mam?' gofynnodd Catrin yn sydyn.

'Oedd, roedd arna i eisiau gweld eich mam, a'ch gweld chi hefyd, Catrin.' Ac fe ddaeth y ddau rosyn yn ôl i fochau'r ferch. 'Ond galw roeddwn i i ddweud wrth eich mam fy mod i'n dod yma i swper heno. Dydy Lowri acw ddim yn rhy dda y dyddiau yma. Mae hi'n hen ac yn mynd yn hynach bob dydd, ac yn llai abl i symud o gwmpas.'

'Rydyn ni i gyd yn mynd yn hynach, Sgweier,' atebodd Catrin a rhyw olwg drist ar ei hwyneb hi. 'Meddyliwch, Sgweier, fe fydda i'n dair ar hugain y mis nesa yma.'

'Fe fydd rhaid i mi gofio'ch pen-blwydd chi, Catrin. Ond meddyliwch, tair ar hugain a dydych chi ddim wedi priodi eto. Twt! Twt! Mae rhyw lanc yn aros amdanoch chi yn rhywle,' meddai'r Sgweier yn chwareus.

noson olau leuad — *moonlight night*
trin — *to deal with*
Aberhonddu — *Brecon*
fel gwyddoch chi'n dda — *as you well know*

fe wn i — *I know*
hynach — *older*
llai — *less*
trist — *sad*

12

'Hy! Fydda i ddim yn priodi. Beth bynnag, pwy sy 'na yn yr ardal yma?'

Edrychodd y Sgweier arni hi a'i lygaid yn llyncu ei phrydferthwch iach.

'Efallai fod yna rywun, Catrin.'

'Hy! Pwy fyddai'n breuddwydio am briodi merch Y Bedol? Fe ddyweda i wrth mam pan ddaw hi eich bod chi'n dod yma i swper heno,' meddai Catrin a rhedodd i'r tŷ i guddio ei thristwch. Edrychodd y Sgweier arni hi'n mynd ac roedd rhyw dristwch yn ei lygaid yntau.

priodi — *to marry*   pwy fyddai'n breuddwydio — *who*
llyncu — *to swallow*   *would dream*
                                        tristwch — *sadness*

3

TAFARN Y BEDOL

Roedd Tafarn Y Bedol yn sefyll ar ochr y ffordd fawr rhwng
Aberhonddu a Llanymddyfri, ac yn amser y stori yma —
rai blynyddoedd ar ôl Waterloo, ac ar ôl i Thomas Telford
ddangos sut i wneud ffyrdd gwell i gario'r goets fawr —
roedd hi'n lle pwysig iawn. Roedd y goets fawr yn aros yn
Y Bedol ar ei ffordd o Loegr bell i Gaerfyrddin a sir Benfro
yn y gorllewin. Roedd hi'n bwysig hefyd achos roedd y
sgweier a ffermwyr yr ardal yn dod â'u gwartheg a'u moch
i'w pedoli yn y caeau o gwmpas y dafarn cyn cychwyn ar
eu taith hir i'w gwerthu yn ffeiriau Bryste neu yn Barnet a
Smithfield yn Llundain bell. Dyna pam roedd y dafarn wedi
cael yr enw Y Bedol, efallai. Ond nid i Loegr roedd y
gwartheg i gyd yn mynd. Roedd rhai'n cael eu gyrru dros
y Bannau garw i Ferthyr Tudful ac ardaloedd y gweithiau
haearn a'r pyllau glo newydd ym Morgannwg.

Roedd yr adeilad ei hun yn fawr ac yn hen, yn hynach
o lawer na'r goets fawr; yn hynach o lawer na ffyrdd
Thomas Telford. Roedd e'n mynd yn ôl i amser y frenhines
Elisabeth. Hen ŵr o Babydd gododd yr adeilad. Roedd e
wedi prynu'r stad yng Nghymru a ffoi yno'n ddigon pell o
Lundain Elisabeth y Protestant. Roedd e'n gwybod bod
llawer o deuluoedd bonheddig Cymru yn dal yn Babyddion
o hyd. Fe gododed e gartref iddo'i hun a'i deulu ar y stad
a dechrau bywyd newydd yno. Ond ar yr un pryd roedd

ardal(oedd) — *district(s), neigh-*
   bourhood
i'w pedoli — *to be shod*
bannau — *beacons*

hynach o lawer — *older by far*
Pabydd(ion) — *papist(s), catholic(s)*
ar yr un pryd — *at the same time*

14

e'n falch o helpu unrhyw Babydd oedd yn ffoi o Loegr Elisabeth, ac fe gafodd llawer hen offeiriad groeso a lle i guddio ganddo fe.

Yn naturiol, pabyddion oedd ei ddisgynyddion wedyn yn amser y Stiwardiaid. Roedden nhw'n gryf dros achos y brenin, ac fe fu un ohonyn nhw'n ymladd ar ochr y brenin yn erbyn Cromwell. Fe gollodd hwnnw ei ben fel gwnaeth Siarl y Cyntaf ei hunan! Fe fu'r teulu'n dawel wedyn heb gymryd rhan mewn unrhyw drwbwl politicaidd na chrefyddol. Ond eto, pan fu rhaid i Iago'r Ail ffoi a phan ddaeth William a Mari i gymryd ei le fe, roedd croeso gan y teulu i unrhyw Jacobiad oedd yn chwilio am le i guddio, ac yn wir, fe gafodd llawer Jacobiad guddfan sicr yno.

Pan ddechreuodd y gwaith newydd o wneud ffyrdd ar draws y wlad, fe welodd disgynnydd yr hen babydd cyntaf oedd yn berchen ar y stad ar y pryd, ei bod hi'n bosibl gwneud arian o'r ffyrdd newydd yma. Roedd y stad yn ddigon tlawd erbyn hyn, ac roedd yntau'n barod i adael i'r ffyrdd newydd ddod ar draws ei stad, dim ond iddo fe gael ei dalu digon. Ond fe ddaeth un o'r ffyrdd yn rhy agos at ei dŷ ei hun, ac felly, fe werthodd e ran o'i stad, a chodi cartref newydd iddo'i hun — Pen Twyn — yn uwch i fyny'r bryn. Dyna pryd y daeth teulu Siân Emwnt, wel, teulu ei gŵr hi, i fod yn berchenogion ar yr hen le a'i droi e'n dafarn i deithwyr ac i bobl yr ardal. Roedd yr Emwnt brynodd y lle hefyd wedi gweld ei bod hi'n bosibl gwneud arian o'r ffyrdd newydd yma.

Fe fu farw pabydd Pen Twyn yn fuan wedyn heb neb i'w ddilyn e. Fe brynodd porthmon cyfoethog y tŷ a'r stad. Lewis Fychan oedd ei enw e, a dim ond un peth oedd ar ei feddwl — gwneud arian ac ennill lle pwysig iddo'i hun yn yr ardal. Fe wnaeth e arian — a hynny heb fod yn gwbl onest bob amser — ac fe enillodd e ei le pwysig yn yr ardal pan brynodd e stad yr hen babydd. Ei fab e, Robert, oedd

offeiriad — *priest*
disgynnydd (disgynyddion) — *descendant(s)*
crefyddol — *religious*
Jacobiad — *Jacobite*

cuddfan — *hiding place*
perchen(ogion) — *owner(s)*
ar y pryd — *at the time*
erbyn hyn — *by now, by this time*

tad Sgweier Fychan ein stori ni. Snob oedd Robert Fychan, ac mor falch oedd e o gael ei adnabod fel 'y sgweier'. Fe newidiodd e ei enw i'r Saesneg 'Vaughan' er mwyn bod fel pobl gyfoethog a meistri tir y sir, a Saeson oedden nhw gan amlaf. Ond doedd pobl yr ardal byth yn sôn amdano fe fel Robert Vaughan. Robat Fychan oedd e iddyn nhw bob amser, ond fe ofalodd Robert Vaughan ei fod e'n dilyn ffasiwn y Saeson drwy yrru ei fab Richard — Rhisiart i bobl yr ardal — i Goleg Crist yn Aberhonddu ac wedyn i Rydychen.

A dyna ni. Richard Vaughan — neu'n well, Rhisiart Fychan — yn berchen ar stad Pen Twyn, a Siân Emwnt yn berchen ar dafarn Y Bedol a'r caeau o amgylch Y Bedol. Roedd ei gŵr hi'n gorwedd yn ddigon tawel i lawr wrth yr eglwys ym mhentref Rhyd-y-waun, wedi yfed gormod o'i gwrw ei hun — heb anghofio'r brandi! Roedd rhai pobl yn dweud ei fod e wedi troi at y gasgen gwrw a'r botel frandi er mwyn dianc rhag tafod ei wraig. Mae'n wir ei bod hi, Siân, yn wraig ac yn feistres galed a bod tafod llym ganddi hi, ond roedd hi'n gofalu bod Y Bedol yn lân ac yn daclus bob amser, yn lle da i deithwyr, a bod gwelyau cyffyrddus a bwyd da yno. Roedd Sgweier Rhisiart Fychan yn gwybod hyn yn dda, ac roedd e'n treulio llawer o'i amser yno, pan oedd e ddim ar un o'i 'deithiau'. Roedd bwyd Siân Emwnt yn llawer gwell na bwyd yr hen Lowri ym Mhen Twyn. Ac wrth gwrs, roedd Catrin yno hefyd — Catrin â'r wyneb siâp calon a'r gwallt o liw y frân yn syrthio'n gwmwl dros ei hysgwyddau.

llym — *sharp, severe*   er mwyn dianc rhag — *in order*
taclus — *tidy*   *to escape from*

4

NOSON OLAU LEUAD

Roedd hi'n noson olau leuad a Siân Emwnt ar ei ffordd adref i Ryd-y-waun yn y goets fawr ar ôl bod yn gweld ei chwaer yn Aberhonddu. Fe edrychodd hi drwy ffenestr y goets ar y wlad o amgylch. Roedd popeth yn edrych mor hardd yng ngolau arian y lleuad lawn. Gyda hi yn y goets roedd dyn mawr cryf. Porthmon o'r enw Sam Prydderch oedd e, meddai fe, ac roedd e ar ei ffordd adref o ffair warteg fawr yn Llundain. Roedd Siân yn siŵr bod llawer o sofrenni melyn ganddo fe felly; roedd hi'n hoff iawn o'r pethau bach melyn ei hunan!

'Pa mor bell rydych chi'n mynd?' gofynnodd Siân iddo fe. 'Rydw i'n gwybod am le da i aros heno — os nad ydych chi'n mynd ymlaen gyda'r goets.'

'Na, dydw i ddim yn mynd ymlaen gyda'r goets, ac rydw i'n gwybod am le da i aros hefyd,' atebodd y porthmon Prydderch. 'Y Bedol yn Rhyd-y-waun. Rydw i'n clywed bod gwelyau cyffyrddus a bwyd da yn Y Bedol, ac yno bydda i'n aros heno. Rydw i wedi bod yn teithio drwy'r dydd ac rydw i wedi blino.'

'Oes, mae lle da yn Y Bedol. Rydw i'n gofalu ei bod hi felly bob amser, y gwelyau'n gyffyrddus a'r bwyd yn ddigon da i frenin. Fi ydy perchen Y Bedol,' meddai Siân gan edrych unwaith eto allan drwy'r ffenestr.

'Wel, wel! Chi ydy perchen Y Bedol? Da iawn. Rydw i wedi clywed llawer o sôn am Y Bedol gan borthmyn eraill, ac am y wraig sy'n cadw'r lle.'

y lleuad lawn — *the full moon*   teithio — *to travel*
cyffyrddus — *comfortable*

17

'Dydych chi ddim wedi clywed dim drwg amdana i, gobeithio,' meddai Siân, ac unwaith eto, fe edrychodd hi allan drwy'r ffenestr.

'Naddo, naddo. Chlywais i ddim drwg amdanoch chi, Siân Emwnt — dyna'ch enw chi, yntê?' atebodd y porthmon. 'Ond dywedwch, pam rydych chi'n edrych drwy'r ffenestr o hyd? Oes arnoch chi ofn rhywbeth?'

'Ofn? Ofn beth, dywedwch? Does arna i ddim o'ch ofn chi, Sam Prydderch.'

'Nac oes, rydw i'n siŵr. Ond oes arnoch chi ddim ofn y . . . y . . . lleidr pen-ffordd yna . . . beth maen nhw'n ei alw fe nawr . . . ym . . . Hebog y Nos?' gofynnodd Sam Prydderch. 'Mae e'n "gweithio" y rhan yma o'r wlad, meddan nhw. Dydw i ddim wedi cwrdd â'r cyfaill fy hunan, ond maen nhw'n dweud ei fod e'n eithaf gŵr bonheddig, ac yn Gymro hefyd.'

'Roedd Dic Turpin yn ŵr bonheddig, meddan nhw, ond doedd hynny ddim yn ei stopio fe rhag dwyn arian pobl. Ond dydw i ddim yn hoffi wynebu dyn sy'n gwisgo mwgwd ac yn cario dau bistol. Ond beth bynnag, dydyn ni ddim ymhell o'r Bedol a Rhyd-y-waun nawr,' meddai Siân.

'O, *mae* ofn arnoch chi,' meddai'r porthmon gan chwerthin yn dawel.

'Ddywedais i ddim bod ofn arna i,' atebodd Siân.

'Naddo, ond y ffordd roeddech chi'n siarad, Siân Emwnt. Mae'n amlwg eich bod chi'n falch eich bod chi'n agos at ben eich taith.'

'Wrth gwrs, rydw i'n falch achos rydw i wedi bod i ffwrdd ers tri diwrnod, a dyn sy'n gwybod sut siâp sy ar y lle yna erbyn hyn,' meddai Siân yn fyr ei thymer. 'Ond cofiwch chi, Mr. Prydderch, rydw i wedi clywed bod y lleidr pen-ffordd yma'n gas iawn wrth y porthmyn, a'i fod e'n mynd â'u harian nhw i gyd bob amser. Rydw i'n siŵr bod ofn arnoch chi hefyd, Sam Prydderch.'

---

hebog — *hawk*
eithaf — *quite (as in* eithaf da — *quite good)*

dyn (Duw) sy'n gwybod — *God knows*
taith — *journey*
byr ei thymer — *short tempered*

18

'Wel, dydw i ddim yn hoffi colli f'arian i neb. Ond ofn? Wel, na, does . . .'

Yn sydyn, dyna sŵn mawr y tu allan i'r goets — sŵn ceffylau'n llithro ac yn cicio ar y ffordd galed, a'r gyrrwr yn gweiddi fel dyn gwyllt. Stopiodd y goets yn gyflym. Yna, fe glywodd Siân a'r porthmon lais garw yn gweiddi, —

'Allwch chi ddim mynd cam ymhellach. Mae rhaff ar draws y ffordd. Felly, allan â chi, bawb sy yn y goets.'

'Hy! Dydy hwnna ddim yn swnio fel gŵr bonheddig gyda'r llais garw yna. Mae e fel brân yn crawcian,' meddai Siân. 'Ydych chi'n mynd allan, Sam Prydderch?'

Roedd Sam Prydderch yn edrych allan drwy'r ffenestr ac yn ceisio gweld lle roedd y lleidr pen-ffordd yn sefyll. Hwn oedd Hebog y Nos? Oedd e ar gefn ei geffyl mawr du?

'Alla i ddim gweld lle mae e,' meddai fe.

'Mae e dan gysgod y goeden fawr acw, mae'n siŵr,' meddai Siân. 'Allwn ni mo'i weld e, ond fe allith e'n gweld ni a'r goets yng ngolau'r lleuad.'

Dyna'r lleidr yn gweiddi unwaith eto.

'Allan â chi a brysiwch, neu fe fydda i'n dod atoch chi, a dyn a'ch helpo chi wedyn.'

Ond symudodd Siân na Sam ddim, na dweud gair.

'O?' meddai'r lleidr ar ôl hanner munud o aros. 'Does neb yn symud? Chi'r gyrrwr, dywedwch pwy sy gyda chi yn y goets. Atebwch neu fe fydd bwled drwy eich pen chi.'

'Dim ond hen wraig,' atebodd y gyrrwr ar unwaith.

'Dim ond hen wraig?' meddai'r lleidr. 'Oes dim porthmon tew gyda chi, neu rywun a llond ei god o sofrenni ganddo fe? Mae'n siŵr bod rhywun gyda chi achos dyma'r amser pan maen nhw'n dod yn ôl o'r ffeiriau yn Lloegr.'

'Fe ddywedais i ei fod e ddim yn hoffi porthmyn,' meddai Siân wrth y porthmon yn y goets.

'Dydych chi ddim yn ateb, Mr. Gyrrwr. Rydw i'n mynd

llithro — *to slip*	fe allith e — *he can*
allwch chi ddim — *you can't*	allwn ni mo'i weld e — *we can't*
ymhellach — *further*	*see him*
rhaff — *rope*	dyn (Duw) a'ch helpo chi — *God*
alla i ddim — *I can't*	*help you*
cysgod — *shade, shadow*	llond ei god — *(with) his bag full*

i gyfri tri. Mae pistol gen i'n barod yn fy llaw. Un . . .
dau . . .'

'Oes, mae un gŵr yn y goets. Efallai ei fod e'n borthmon
— dydw i ddim yn gwybod,' atebodd y gyrrwr. Doedd arno
fe ddim eisiau bwled drwy ei ben.

'Diolch,' meddai'r lleidr. 'Nawrte, Mr. Porthmon —
mae'n siŵr mai dyna ydych chi — allan â chi a'ch pwrs
gyda chi, neu chi fydd yn cael y fwled yma ac nid y gyrrwr.'

Fe ddododd Sam Prydderch ei law ym mhoced ei gôt
fawr a thynnodd bwrs mawr allan ohoni hi.

Roedd hi'n ddigon golau i Siân Emwnt weld pa mor fawr
oedd y pwrs.

'Hew!' meddai Siân, 'dydych chi ddim am roi hwnna
iddo fe? Taflwch ychydig o sofrenni. Fe fydd hynny'n
ddigon i'r diafol.'

'Ydw, rydw i'n rhoi'r pwrs iddo fe,' atebodd Sam
Prydderch gan chwerthin yn dawel.

Fe agorodd e ddrws y goets a chamu allan.

'Dyma fe, fy mhwrs. Does dim arall gen i,' meddai fe,
ac fe daflodd e'r pwrs i ochr y ffordd lle roedd e'n meddwl
bod y lleidr yn sefyll — neu'n eistedd ar ei farch.

'Diolch,' meddai'r lleidr. 'Rydych chi'n gwybod beth sy
orau i chi.'

Roedd Siân yn gwrando'n ofalus ar lais y lleidr. Doedd
e ddim yn swnio mor arw a chras nawr. Ond dyna'r nodyn
cras eto pan waeddodd e ar yrrwr y goets, —

'Chi'r gyrrwr, dewch i lawr o'r goets a thynnwch y rhaff
sy ar draws y ffordd, ac i ffwrdd â chi wedyn.'

Neidiodd y gyrrwr i lawr a thynnu'r rhaff a'i gadael hi
ar ganol y ffordd. Yna, gyda 'Hyp' a 'Hai' roedd y goets
ar ei ffordd unwaith eto, a Sam Prydderch yn chwerthin yn
dawel fach yn ei gornel. Roedd rhaid i Siân Emwnt ofyn, —

'Pam rydych chi'n chwerthin, Sam Prydderch? Rydych
chi wedi colli llond pwrs o arian. Dydy e ddim yn beth
digri o gwbl.'

camu — *to step*	cras — *harsh*
march — *steed, horse*	digri — *funny*

'Mae e'n ddigri i mi,' atebodd y porthmon, 'achos dydw i ddim wedi colli dim arian . . . wel, dim llawer. Dim ond llond pwrs o geiniogau.'

'Ceiniogau? Nid sofrenni oedd yn y pwrs? '

'Nage, nage! Dim ond ceiniogau. Fe ges i fy nal gan leidr pen-ffordd unwaith o'r blaen, ac fe fu rhaid i mi roi fy mhwrs iddo fe. Ond edrychodd e ddim beth oedd yn y pwrs, dim ond ei ddodi fe yn ei boced fawr . . . a dweud "Diolch", wrth gwrs. Fe ddysgais i wers bryd hynny. Rydw i bob amser nawr yn cadw un pwrs o geiniogau i'r lleidr pen-ffordd fydd yn digwydd dod heibio, ond mae'r sofrenni aur i gyd yn ddiogel gen i yn rhywle arall.'

'Ble rydych chi'n eu cadw nhw, Sam Prydderch — y sofrenni aur? ' gofynnodd Siân Emwnt. Roedd hi'n dechrau hoffi'r hen borthmon cyfrwys yma. Roedd e mor gyfrwys â'r lleidr pen-ffordd bob tamaid.

'Dydych chi ddim yn disgwyl i mi ddweud hynny wrthoch chi, ydych chi? '

'Wel, nac ydw, a dweud y gwir. Ond mae'n siŵr eich bod chi'n eu cario nhw ar eich person.'

'Ydw, wrth gwrs,' meddai Sam, 'a dydw i ddim yn mynd i ddweud mwy na hynny wrthoch chi.'

'Doeddwn i ddim yn disgwyl i chi ddweud,' meddai Siân gan wenu. Yna, 'Rydw i'n siŵr mai Hebog y Nos oedd y lleidr yna. Fe fydd e'n wyllt pan welith e beth sy yn eich pwrs. Mae e'n siŵr o ddod ar ein hôl ni unwaith eto.'

'Wel, fe ddywedsoch chi ein bod ni ddim ymhell o'r Bedol nawr, ac fe fydda i a fy sofrenni'n ddiogel ddigon ar ôl cyrraedd yno. Ddaw y lleidr yna ddim i mewn i'r Bedol ar ein hôl ni, rydw i'n ddigon siŵr o hynny.'

'Wel, gobeithio na ddaw e ddim . . . gobeithio . . . ie . . . gobeithio . . . '

ceiniog(au) — *penny(ies)*	pan welith e — *when he sees*
bryd hynny — *at that time*	diogel — *safe*
cyfrwys — *cunning*	Ddaw y lleidr yna ddim — *That*
mwy na hynny — *more than that*	*thief won't come*
gwenu — *to smile*	

5

CYRRAEDD Y BEDOL

Edrychodd Hebog y Nos ar y goets yn mynd. Roedd e mewn tymer dda iawn. Doedd e ddim wedi cael unrhyw drafferth gyda'r bobl yn y goets, a nawr roedd pwrs trwm y porthmon yn gorwedd ar y llawr wrth draed ei geffyl. Fe neidiodd e'n ysgafn i lawr a chasglu'r rhaff fawr hir roedd e wedi ei hongian rhwng dwy goeden ar draws y ffordd i stopio'r goets. Dododd e'r rhaff yn daclus ar ei gyfrwy. Yna, fe blygodd e a chodi'r pwrs.

'Da iawn! Mae pwysau yn hwn,' meddai'r Hebog. 'Mae rhaid bod y porthmon yna wedi cael arian da am ei warheg yn Llundain, neu ble bynnag mae e wedi bod. Mae rhaid i mi weld y sofrenni melyn yma.'

Fe ddaeth e allan o gysgod y goeden gan dynnu ei farch ar ei ôl, ac yno, yng ngolau'r lleuad, fe agorodd e'r pwrs ac arllwys rhai o'r darnau arian ar ei law.

'Hei! Nid sofrenni ydy'r rhain. Maen nhw'n rhy fawr. Wel, ar fy ngair, mae'r porthmon yna wedi chwarae tric arna i. Ceiniogau ydyn nhw.'

Fe arllwysodd e ragor o'r darnau o'r pwrs a gadael iddyn nhw ddisgyn ar y llawr.

'Ie, ceiniogau ydyn nhw i gyd. Fe gaiff y porthmon yna dalu am hyn. Ble mae e'n aros, tybed? Yn Y Bedol? Neu ydy e'n mynd ymlaen i Lanymddyfri? Fe gawn ni weld nawr.'

trafferth — *trouble*
cyfrwy — *saddle*
pwysau — *weight(s)*

fe gaiff y porthmon yna dalu — *that drover shall pay*
fe gawn ni weld — *we shall see*

Neidiodd yr Hebog ar gefn ei farch mawr du.

'Hyp, Taran! Ar ôl y porthmon mawr tew yna! Fe ddaliwn ni fe cyn iddo fe gyrraedd Y Bedol. Fe fydd y goets yn aros yno am ychydig.'

Fe blannodd e ei sodlau yn ei farch a charlamu i lawr y ffordd ar ôl y goets . . .

Ond roedd y goets wedi mynd yn rhy bell. Roedd Y Bedol yn agos a doedd dim ofn ar y porthmon nawr. Chwerthin yn dawel fach roedd e o hyd, ond roedd Siân yn dal i ofni. Roedd hi'n falch yn ei chalon o weld y goleu-adau yn ffenestri'r Bedol o'r diwedd.

'Wow!' gwaeddodd gyrrwr y goets a dyna'r ceffylau'n llithro a sglefrio ar y ffordd galed. Mae'n siŵr eu bod nhw'n falch hefyd o aros achos roedd y gyrrwr wedi gyrru fel Jehu ei hun y ddwy neu dair milltir olaf at Y Bedol. Fe ddaeth Twmi'r gwas allan c'r dafarn i ddal pennau'r ceffylau tra oedd y teithwyr yn disgyn. Siân Emwnt oedd y cyntaf allan.

'Diolch byth!' meddai hi.

'Croeso'n ôl, meistres,' gwaeddodd Twmi. 'Gawsoch chi siwrnai dda?'

'Siwrnai dda?' meddai Siân, ac fe stopiodd hi'n sydyn. Roedd sŵn ceffyl yn carlamu'n wyllt i lawr y ffordd tua'r Bedol.

'Yr Hebog!' meddai hi mewn dychryn. Roedd rhaid mai'r Hebog oedd e i Siân. 'Cuddiwch y tu ôl i'r ceffylau, Twmi. Mae'r Hebog yn dod. Mae'n rhy beryglus iddo fe aros nawr, ond mae e'n siŵr o saethu wrth fynd heibio. Sam Prydderch! Arhoswch yn y goets!' gwaeddodd Siân wedyn, ac fe blygodd hi'n isel y tu ôl i'r goets.

Roedd Sam Prydderch wedi clywed y carlamu ei hunan, a doedd e ddim am fentro allan nes bod y ceffyl wedi pasio'n ddigon pell. Fe gofiodd e fod pistol parod — dau,

fe ddaliwn ni fe — *we'll catch him*
sodlau — *heels*
carlamu — *to gallop*
dal i ofni — *to continue to fear*

sglefrio — *to slide*
siwrnai — *journey*
dychryn — *fright; to be frightened*
saethu — *to shoot*
mentro — *to venture*

23

efallai — gan y lleidr pen-ffordd, os hwn oedd y lleidr yn dod nawr. Fe arhosodd e yn y goets.

Fe ddaeth sŵn y carlamu'n nes ac yn nes, a dyma'r Hebog yn mynd heibio. Roedd e'n gwybod yn iawn ei bod hi'n rhy beryglus iddo *fe* hyd yn oed aros ac ymosod ar y goets wrth ddrws ffrynt Y Bedol. Ond roedd rhaid iddo fe dalu'n ôl i'r porthmon yna am y tric roedd e wedi ei chwarae arno fe. Fel roedd e'n mynd heibio, fe saethodd e fwled i'r awyr a dychryn y ceffylau nes eu bod nhw'n cicio a sglefrio a llithro dros y lle i gyd. Lwc fod Twmi wedi dal ei afael ym mhennau'r ceffylau blaen.

'Fe wela i di eto, y porthmon tew,' gwaeddodd yr Hebog yn ei lais cras, ac mewn llai na hanner munud, roedd sŵn carlamu ei farch wedi tawelu yn y pellter.

'Y diafol!' gwaeddodd Siân Emwnt ac fe aeth hi'n ôl at ddrws y goets. 'Ydych chi'n iawn, Sam Prydderch?'

'Ydw, ydw, rydw i'n iawn,' atebodd y porthmon gan ddod allan o'r goets.

'Dewch i mewn i'r Bedol. Mae'r ffordd yma'n beryglus rhwng popeth,' meddai Siân.

'Fe glywsoch chi beth ddywedodd yr Hebog wrth fynd heibio,' meddai Sam Prydderch wrth gamu allan o'r goets. 'Dydy e ddim yn debyg o ddod yn ôl yma, ydy e?'

'Dydw i ddim yn meddwl, Sam Prydderch,' atebodd Siân. 'Mae gormod o bobl o gwmpas y lle yr amser hyn o'r nos.'

Ac yn wir roedd nifer o ffyddloniaid Y Bedol wedi rhedeg i'r drws pan glywson nhw sŵn y saethu. Gyda nhw roedd Catrin.

'Mam fach,' meddai hi pan welodd hi Siân yn dod at y drws gyda Sam Prydderch. 'Beth ddigwyddodd? Fe glywson ni rywun yn saethu. Does neb wedi cael ei frifo, oes e?'

'Nac oes, nac oes,' atebodd Siân. 'Does neb wedi cael ei frifo. Dim ond wedi dychryn ychydig.'

'Ond pwy oedd yn saethu, mam?'

nes ac yn nes — *nearer and nearer*   llai na — *less than*
dal ei afael — *to keep his hold, to*   ffyddloniaid — *faithful ones*
   hold on   brifo — *to hurt, to injure*
fe wela i di — *I'll see you*

'Yr Hebog, y lleidr pen-ffordd yna, ond dydw i ddim yn meddwl ei fod e wedi saethu i daro neb, dim ond i'n dychryn ni . . . wel, dychryn Mr. Prydderch yma.'

'Yr Hebog? Hebog y Nos? Oedd e'n ymosod ar y goets heno? Aeth e â'ch arian chi, mam?'

Roedd Catrin yn llawn cwestiynau, ac mewn pryder mawr am ei mam.

'Naddo, naddo. Aeth e ddim â f'arian i. Dim ond rhai o geiniogau Mr. Prydderch yma.'

'Ceiniogau Mr. Prydderch?'

'Ie, ie, ond gad i ni fynd i'r tŷ nawr, Catrin. Rydw i wedi blino, ac rydw i'n siŵr bod eisiau rhywbeth cryf ar Mr. Prydderch. Brandi neu rywbeth. Dos ag e i'r gegin gefn, Catrin. Fe fydd eisiau tawelwch ar Mr. Prydderch, rydw i'n siŵr. Rydw i'n mynd i weld ydy'r gyrrwr yn iawn.'

'Ydy'r gyrrwr yn aros yma heno?'

'Nac ydy, Catrin fach. Roedd y ceffylau'n newydd yn Aberhonddu. Fe fydd e'n mynd ymlaen i Lanymddyfri, ond dos nawr, ferch,' meddai Siân. Yna gan droi at Sam Prydderch, meddai hi, 'Fe ddaw Twmi'r gwas â'ch pethau chi o'r goets. Ewch chi gyda Catrin nawr. I'r gegin gefn, Catrin.'

Fe aeth Siân Emwnt at yrrwr y goets. Roedd e wedi neidio i lawr o'i focs, ac roedd yn amlwg ei fod e wedi dychryn yn fawr. Roedd e wedi clywed y fwled yn sïo uwch ei ben e, meddai fe.

'Mae eisiau rhywbeth arnoch chi hefyd,' meddai Siân pan welodd hi ei wyneb gwelw. 'Ewch i mewn i'r gegin fawr. Fe gewch chi fwyd a diod yno gan Blodwen y forwyn. Fe gewch chi gwmni yno hefyd. Fe ofalith Twmi'r gwas am y ceffylau nes eich bod chi'n barod i ailgychwyn am Lanymddyfri.'

'Diolch, Meistres Emwnt,' meddai fe'r gyrrwr.

---

pryder — *anxiety*
fe ddaw Twmi . . . â — *Twmi will bring*
sïo — *to whizz*
gwelw — *pale*

fe gewch chi — *you shall have (get)*
fe ofalith Twmi am — *Twmi will look after*

'Oes dim ofn arnoch chi i fynd ymlaen i Lanymddyfri heno?' gofynnodd Siân wedyn iddo fe.

'Na . . . nac oes. Mae'r goets yn wag nawr, os nad oes neb i'w godi yma yn Y Bedol. Beth bynnag, fe fyddan nhw'n fy nisgwyl i yn Y Delyn yn Llanymddyfri cyn canol nos.'

'O'r gorau. I mewn â chi i'r gegin fawr. Fe fydd Blodwen yno i roi bwyd a diod i chi,' meddai Siân. Ac yna fe aeth hi at Twmi'r gwas.

'Gest ti ddychryn, Twmi?' gofynnodd Siân iddo fe.

'Dychryn? Hy! Naddo.' Roedd Twmi wedi bod yn ymladd yn erbyn Boni ers llawer dydd, a doedd un ergyd o bistol ddim yn ddigon i'w ddychryn e.

'Dos â'r ceffylau i mewn i'r iard, te, Twmi, nes bod y gyrrwr yn barod i fynd. Mae e'n cael tamaid o fwyd nawr yn y gegin fawr.'

'O'r gorau, meistres. Fe â i â'r ceffylau yma i'r iard . . .'

Fe aeth Siân Emwnt i'r tŷ a thrwy'r gegin fawr. Roedd y cwsmeriaid-bob-nos — y ffyddloniaid — yn sefyll yn gylch o gwmpas y gyrrwr ac yntau'n adrodd gyda blas holl helynt y nos. Fe glywodd Siân un frawddeg wrth fynd heibio. 'Fe glywais i'r fwled yn sïo heibio i fy nghlust . . . o fewn modfedd, rydw i'n siŵr.' Roedd rhaid i Siân wenu. Wrthi hi roedd e wedi dweud bod y fwled wedi sïo uwch ei ben e. Roedd hi ei hunan yn siŵr mai saethu i'r awyr wnaeth y lleidr pen-ffordd.

Pan ddaeth hi i'r gegin fach gefn roedd Sam Prydderch yn eistedd wrth dân mawr braf. Roedd e wedi tynnu ei gôt fawr, ond roedd e wedi cadw ei het am ei ben. Roedd glasaid o frandi yn ei law, a Catrin yn gwrando arno fe sut roedd e wedi twyllo Hebog y Nos. Roedd ei llygaid hi'n fawr yn ei phen a'i cheg hi'n agored.

'Paid â sefyll fan yna a'th geg yn agored. Mae eisiau bwyd ar y dyn,' meddai Siân yn llym ei thafod.

gwag — *empty*
ergyd — *blow, shot*
fe â i â — *I'll take*

gyda blas — *with relish*
modfedd — *inch*
twyllo — *to deceive*

26

'O'r gorau, mam. O, ie,' meddai Catrin gan gofio'n sydyn, 'mae Sgweier Fychan wedi dod adref, ac fe fydd e yma i swper heno.'

'Sgweier Fychan? Mae e wedi dod yn ôl o'i grwydro ffôl unwaith eto, ydy e? Beth sy gen ti i swper, dwêd?'

'O, rhywbeth fydd yn siŵr o blesio'r Sgweier. Fe alwodd e yma y bore yma i ddweud ei fod e'n dod i swper. Mae gwell bwyd yma nag sy gan yr hen Lowri, meddai fe.'

'Dydy hynny ddim yn dweud llawer. Ond brysia te, neu fe fydd e yma cyn bod dim yn barod.'

'Fe fydd popeth yn barod mewn llai na hanner awr,' atebodd Catrin, 'os bydd y gŵr bonheddig yma'n fodlon aros.'

Roedd 'y gŵr bonheddig yma' yn ddigon parod i aros. Roedd y brandi'n dechrau cynhesu y tu mewn iddo fe, ac roedd llygaid ganddo fe i'r ferch brydferth yma oedd yn gwibio'n ôl a blaen o'r ford at y tân, ac o'r tân i'r cwpwrdd mawr oedd yn sefyll yng nghornel y stafell. Ond merch i Siân Emwnt oedd hi, ac roedd rhaid iddo fe fod yn ofalus achos roedd llygaid yr hen Siân ymhob man. . . . Ond roedd y forwyn yna, Blodwen, yn ddigon siapus hefyd . . . Beth bynnag, roedd e'n edrych ymlaen at eistedd wrth yr un bwrdd â'r Sgweier yna . . .

---

crwydro ffôl — *foolish wander-*
    ing(s)
gwibio — *to flit, to dart*

siapus — *shapely*
yr un bwrdd â — *the same table*
    as

6

SWPER YN Y BEDOL

Mewn llai na hanner awr roedd y goets wedi ailgychwyn ar ei thaith i Lanymddyfri. Roedd y gyrrwr wedi dod dros ei ddychryn gyda help y cwrw yn ei fola, a'r clustiau oedd yn barod i wrando ar ei stori am helynt y nos. Roedd y ffyddloniaid hefyd yn gadael o un i un. Roedd rhaid i weithwyr yr ardal godi'n gynnar i fod o gwmpas eu gwaith yn y bore. Ac roedd tipyn o bellter gan rai ohonyn nhw i gerdded adref. Felly, doedd neb yn yfed yn hwyr yn Y Bedol, dim ond y teithwyr a'r bobl oedd yn aros dros nos . . . a phobl arbennig fel Sgweier Fychan.

Fe ddaeth Sgweier Fychan o'r diwedd a mawr oedd y croeso gafodd e gan Siân Emwnt, a gan Catrin wrth gwrs. A mawr oedd pryder y Sgweier pan glywodd e am helynt y goets fawr a Hebog y Nos yn ymosod arni hi. Dyna'r stori gyntaf gafodd e wedi iddo fe dynnu ei gôt fawr ac eistedd wrth y tân.

'Ond chafodd neb ohonoch chi ei frifo . . . chafodd neb unrhyw niwed?' gofynnodd y Sgweier.

'Naddo,' atebodd Siân Emwnt. 'Chafodd neb niwed. Roedd e, y lleidr pen-ffordd, pwy bynnag oedd e, yn eithaf gŵr bonheddig, er bod y llais mwyaf garw a chras ganddo fe.'

'Fe, y lleidr, oedd y dyn anlwcus heno,' meddai Sam Prydderch. 'Fe dwyllais i fe heno. O do, fe dwyllais i fe heno.'

arbennig — *special*   niwed — *harm, hurt, injury*
helynt — *trouble, fuss, excitement*

Roedd e'n mynd i adrodd stori'r ceiniogau am yr ail waith y noson honno, ond fe dorrodd Siân Emwnt ar ei draws e.

'Arhoswch chi nawr, Sam Prydderch. Fe gawn ni hanes eich tric chi ar y lleidr ar ôl i ni eistedd wrth y bwrdd. Rydw i'n siŵr bod eisiau bwyd ar y Sgweier, ac mae popeth yn barod nawr. Dewch at y bwrdd. Catrin! Dos i weld beth mae Blodwen a Twmi'n ei wneud yn y gegin fawr. Rydw i'n siŵr bod pawb o'r cwsmeriaid wedi mynd erbyn hyn. Mae pawb yn mynd i'w gwelyau'n gynnar yn yr ardal yma, Sam Prydderch.'

Fe aeth y Sgweier a Sam Prydderch at y bwrdd, a'r porthmon yn gwisgo'i het o hyd, ac fe aeth Catrin i'r gegin fawr.

'Mae'n rhyfedd bod y porthmon yna'n gwisgo'i het wrth y bwrdd bwyd,' meddyliodd y Sgweier, ond ddywedodd e ddim, dim ond edrych a chwerthin yn dawel wrtho'i hun. 'Efallai fod twll ganddo fe yn ei ben.'

Roedd Siân yn dodi dau lond plât mawr o gig a thatws a phethau o flaen y ddau ddyn pan ddaeth Catrin yn llawn ffwdan yn ôl i'r gegin fach.

'Beth sy'n bod, Catrin?' gofynnodd Siân Emwnt.

'Mae rhyw ŵr dierth wedi cyrraedd,' atebodd Catrin. 'Mae e'n edrych fel gŵr bonheddig. Mae e'n hardd ac mae e'n gwisgo côt fawr las . . .'

'Ond does dim mwgwd am ei lygaid e na dau bistol yn ei ddwylo,' chwerthodd y Sgweier. Meddwl roedd e am y sgwrs gafodd e gyda Catrin yn y bore. Fe edrychodd e hefyd ar y porthmon — roedd ei wyneb e wedi mynd yn welw fel sialc.

'Na . . . Nac oes . . . dim mwgwd,' meddai Catrin, ac yna chwerthin, achos fe ddaeth yn amlwg iddi hi mai tynnu ei choes roedd y Sgweier. 'Mae e'n gofyn am fwyd a gwely dros nos. Mae Twmi wedi mynd allan i ofalu am ei geffyl e.'

---

fe gawn ni — *we shall have*
rhyfedd — *strange*
yn llawn ffwdan — *full of fuss*

gŵr dierth — *stranger*
sgwrs — *chat, conversation*

Roedd Sam Prydderch yn barod wedi neidio ar ei draed.

'Arhoswch! Pwy ydy'r dyn yma? Efallai mai fe ydy'r Hebog, wedi dod yn ôl i ddwyn f'arian i. Mae'r Hebog yn gwisgo côt las bob amser, meddan nhw. Oes ceffyl mawr du ganddo fe hefyd?'

'Wn i ddim. Dydw i ddim wedi gweld y ceffyl. Twmi sy'n gofalu amdano fe.'

'Eisteddwch, Mr. Prydderch. Does neb yn mynd i ddwyn eich arian chi. Rydyn ni'n dau'n ddigon i ddelio ag unrhyw leidr pen-ffordd, neu unrhyw leidr arall,' meddai'r Sgweier.

'Ie wir, eisteddwch, Sam Prydderch. Mae croeso i bob teithiwr yma . . . wel, i bob teithiwr gonest,' meddai Siân. 'Dywedwch wrth y gŵr bonheddig am ddod i mewn yma, Catrin, a dwêd wrth Twmi i roi gwellt a gwair i'r ceffyl yn y stabal.'

Eisteddodd y porthmon yn llipa yn ei gadair a'i lygaid e'n llawn dychryn. Fe gydiodd e'n dynn yn y gyllell oedd ar y bwrdd o'i flaen tra aeth Catrin i groesawu'r teithiwr newydd, ac i ddweud wrth Twmi am ofalu am ei geffyl.

Mewn llai na munud, roedd Catrin yn ôl gyda'r dyn dierth. Yn wir, roedd e'n ŵr hardd yn ei gôt fawr las — 'mor dal â'r Sgweier', meddyliodd Siân Emwnt. Fe dynnodd e ei het yn foneddigaidd pan ddaeth e i mewn i'r stafell. Ac meddai fe mewn llais cwta, cras, —

'Capten Prys ydw i, ac rydw i ar daith drwy Gymru, wyddoch chi. Oes yna fwyd a gwely i'w cael yma heno?'

'Capten?' meddyliodd Sgweier Fychan. 'Mae e'n edrych ac yn swnio fel capten yn y fyddin hefyd.'

'Oes, siŵr, mae croeso i chi yma,' meddai Siân Emwnt. 'Mae bwyd ar y bwrdd nawr. Dewch, tynnwch eich côt, a gwnewch eich hunan yn gartrefol.'

'Diolch,' meddai'r Capten.

Fe dynnodd e ei gôt a'i rhoi hi gyda'i het i Catrin, a Sam Prydderch yn gwylio pob symudiad. Roedd e'n

teithiwr — *traveller*	byddin — *army*
gwellt — *straw*	gwnewch eich hunan yn gartrefol
llipa — *limp, flaccid*	— *make yourself at home*
cwta — *terse, short, abrupt*	symudiad — *movement*

disgwyl i'r gŵr dierth yma dynnu pistol o'i boced unrhyw funud. Ond na, doedd dim pistol ganddo fe. O leiaf, doedd dim un yn amlwg ganddo fe. Efallai fod un — neu ddau! — ganddo fe ar ei gyfrwy.

'Os ca i olchi fy nwylo yn gyntaf, fe fydda i'n falch cael rhannu swper gyda chi wedyn,' meddai'r Capten yn gwrtais heb gymryd dim sylw o lygaid ofnus y porthmon.

'Wrth gwrs,' meddai Siân Emwnt ac fe aeth hi at y drws i alw ar Blodwen y forwyn.

'Ewch â'r gŵr bonheddig yma i'r llofft, i stafell tri yn y cefn — mae honno'n wag a'r gwely'n barod. A rhowch ddŵr cynnes iddo fe ymolchi. Fe fydd e'n aros yma dros nos.'

'O'r gorau, meistres,' atebodd Blodwen o'r gegin fawr, a galw ar y Capten. 'Y ffordd yma, os gwelwch yn dda.'

Fe aeth y Capten i'w dilyn hi.

Y munud yr aeth e drwy'r drws, roedd Sam Prydderch ar ei draed unwaith eto.

'Rydw i'n siŵr mai'r dyn yna ydy'r Hebog. Welsoch chi ei gôt e — côt las? Glywsoch chi ei lais cwta, cras? Yr un fath â'r lleidr pen-ffordd yna heno. Ac mae ceffyl mawr du ganddo fe hefyd, rydw i'n siŵr.'

'A rhaff fawr hir yn hongian yn daclus ar y cyfrwy. Roedd rhaff ganddo fe ar draws y ffordd, fe gofiwch,' chwerthodd Siân Emwnt. 'Wir, Sam Prydderch, rydych chi'n ffôl iawn. Eisteddwch a dechreuwch ar y bwyd yna, neu fe fydd e wedi oeri a fydd e ddim yn ffit i'w fwyta.'

'Ond fe glywsoch chi beth ddywedodd e pan oedd e'n carlamu heibio fel y diafol ei hunan ac yn saethu ei bistol. "Fe wela i di eto," — dyna beth ddywedodd e, Siân Emwnt.'

'"Fe wela i di eto, y porthmon tew." Dyna beth ddywedodd e,' chwerthodd Siân.

Roedd Sgweier Fychan yn teimlo ei bod hi'n hen bryd iddo fe geisio gwneud rhywbeth i dawelu ofnau'r porthmon.

o leiaf — *at least*
os ca i — *if I may*
rhannu — *to share*
cwrtais — *courteous*

yr un fath â — *the same as*
ei bod hi'n hen bryd — *that it was high time*

31

'Dewch, dewch, Mr. Prydderch; roeddwn i'n meddwl mai dynion dewr oeddech chi'r porthmyn, ond rydw i'n gweld mai rhyw fabi bach llipa ydych chi.'

Doedd y porthmon ddim yn hoffi cerydd y Sgweier. Fe edrychodd e'n sarrug arno fe a chydiodd yn ei gyllell a'i fforc i ddechrau ar ei swper. Cododd ryw damaid bach o fwyd at ei geg ond roedd ei lygaid e o hyd ar y drws.

'Roeddwn i'n meddwl mai bwytwyr mawr oedd porthmyn, fod eisiau llawer o fwyd arnyn nhw ar ôl teithio cymaint a threulio cymaint o amser yn yr awyr agored. Rydych chi'n pigo'ch bwyd fel rhyw iâr fach,' ceryddodd y Sgweier unwaith eto.

Plannodd y porthmon ei fforc yn ei swper nes bod y tatws a'r pethau'n neidio. Roedd e'n dechrau colli ei dymer.

Tra oedd y porthmon yn dangos ei dymer fel hyn, fe ddaeth Capten Prys yn ôl i'r stafell gan rwbio'i ddwylo.

'Mae'n braf cael teimlo'n lân unwaith eto,' meddai fe.

'Fe gawsoch chi siwrnai hir heddiw, Capten,' meddai Sgweier Fychan.

'Do . . .' dechreuodd y Capten, ond torrodd Siân ar ei draws e.

'Peidiwch â dechrau siarad nawr. Rydw i wedi paratoi lle i chi wrth y bwrdd ac mae Catrin yn llanw'ch plât chi. Mae'n siŵr bod eisiau bwyd arnoch chi. Fe gewch chi siarad ar ôl cael llond eich bol. Dyma'ch cadair chi, Capten Prys.'

'Diolch,' meddai fe'n gwrtais. 'Oes, mae eisiau bwyd arna i,' ac fe eisteddodd e yn y gadair — yn wynebu Sam Prydderch, a Sam yn gwylio pob symudiad o hyd.

Fe blygodd y Capten ei ben am funud a chau ei lygaid — i ofyn bendith ar ei fwyd, mae'n debyg. Pan gododd e ei ben wedyn ac agor ei lygaid, fe edrychodd e i lawr ei drwyn ar Sam Prydderch. Roedd Sam o hyd yn gwisgo'i het.

'Mae gwŷr bonheddig bob amser yn tynnu eu hetiau pan maen nhw wrth y bwrdd,' ceryddodd y Capten.

---

cerydd — *reprimand, scold*
sarrug — *surly*
bwytwyr — *eaters*

cymaint — *so much, so many*
i ofyn bendith — *to ask a blessing, to say grace*

'Dydw i ddim yn bwyta drwy fy het,' atebodd Sam Prydderch yn fyr ei dymer.

'Dim ond siarad drwyddi hi weithiau, efallai,' atebodd y Capten.

'Does dim ots i chi beth rydw i'n ei wneud,' atebodd Sam.

'Mr. Prydderch, wir! Nid dyna'r ffordd i siarad â gŵr bonheddig,' meddai'r Sgweier gan ei geryddu fe unwaith eto.

'Fe alla i ddelio â'r gŵr yma fy hunan, diolch,' meddai Capten Prys yn finiog wrth y Sgweier. Yna, gan droi at y porthmon unwaith eto, meddai fe, 'Mae'n beth cwrtais i dynnu eich het wrth y bwrdd, syr. Byddwch mor garedig â thynnu eich het nawr, syr, neu fe fydd rhaid i mi fwyta yn rhywle arall. Alla i ddim eistedd gyda dyn sy ddim yn gwybod sut i ymddwyn yn iawn.'

'Wel, dyna i chi hen snob,' meddyliodd Siân Emwnt, ond wrth y porthmon meddai hi'n dawel yn ei glust, 'Tynnwch eich het, dyna ddyn da. Does arnon ni ddim eisiau ffrae yma.'

'O, o'r gorau,' atebodd Sam Prydderch, a chododd ei ddwylo i dynnu ei het.

Fe sylwodd y Sgweier a'r Capten fod yr het wedi ei phlannu'n dynn am ei ben e. O'r diwedd fe dynnodd y porthmon ei het a'i dodi hi'n ofalus wrth ei draed ar y llawr.

'Rhyfedd,' meddyliodd Sgweier Fychan. 'Mae rhaid bod pwysau mawr yn yr het yna — y ffordd roedd e'n ei chodi hi a'i dodi hi i lawr wedyn.'

Fe edrychodd e'n slei fach ar y Capten. Roedd yntau'n amlwg wedi meddwl yr un peth, fod pwysau mawr yn yr het, neu o leiaf fod yr het yn drymach na het gyffredin. Roedd y Capten yn gwylio'r het a'r porthmon gyda diddordeb mawr.

---

miniog — *sharp, keen*
ymddwyn — *to behave, to conduct oneself*
cyffredin — *common (ordinary)*
diddordeb — *interest*

'Diolch,' meddai'r Capten a gwên ar ei wyneb. 'Nawr fe allwn ni fwyta.' Ac fe gydiodd e yn ei gyllell a'i fforc.

Fe gollodd e ei olwg sarrug a dyma fe'n dechrau siarad yn gyfeillgar â'r cwmni wrth y bwrdd. Fe ddaeth Siân a Chatrin at y bwrdd hefyd, ac yn fuan roedd pawb yn siarad ac yn chwerthin yn llawen â'i gilydd. A doedd neb mwy llawen na'r porthmon ei hunan. Fe ddiflannodd yr ofn o'i lygaid wrth wrando ar y Capten yn sôn am rai o'r pethau digri oedd wedi digwydd iddo fe yn y fyddin mewn llawer gwlad ar draws y byd — rhai pethau trist a digon cas hefyd. Roedd llawer stori ddigri ganddo fe, Sam Prydderch, hefyd am bethau oedd wedi digwydd iddo fe a'i weision yn y ffeiriau ac ar eu teithiau ar draws y wlad gyda'u hanifeiliaid. Ac wrth gwrs, roedd rhaid iddo fe adrodd sut roedd e wedi twyllo Hebog y Nos drwy roi llond pwrs o geiniogau iddo fe yn lle sofrenni. Y brandi oedd yn siarad, meddyliodd Siân Emwnt, achos fe sylwodd hi fod cymaint o frandi ag o fwyd yn mynd i lawr i fola mawr y porthmon.

Doedd y Sgweier ddim heb ei ran yn y sgwrs. Roedd e wedi bod ar lawer siwrnai i 'Samaria' Morgannwg, fel roedd Merthyr Tudful ac ardal y gweithfeydd haearn a'r pyllau glo yn cael eu galw. Roedd hi'n ddigon i dorri calon dyn, meddai fe, i weld pa mor galed a thlawd oedd bywyd y gweithwyr yn yr ardal arw honno. Ond cyn hir, roedd pawb — dan effaith bwyd da'r Bedol, ac wedyn dan effaith y ddiod a'r brandi — wedi anghofio bod y fath bethau ag ofn a thristwch yn y byd. Roedd Sam Prydderch yn barod i ganu. Oedd un o'r merched yn gallu canu? Beth am Catrin, neu'r forwyn fach yna, Blodwen? Roedd llais swynol gan Blodwen, meddai Siân a Catrin, ac roedd rhaid ei chael hi i mewn i ganu wedyn, i blesio'r porthmon yn fwy na dim. Ac fe ganodd Blodwen, —

'Ble rwyt ti'n myned, fy morwyn ffein i?
Myned i odro, O, syr, mynte hi.

fe allwn ni — *we can*   swynol — *charming (sweet)*
cyfeillgar — *friendly*   mynte hi — *said she*
effaith — *effect, influence*

Dau rosyn coch a dau lygad du,
Yn y baw a'r llaca, O, syr, gwelwch fi.'

Roedd pawb o'r cwmni'n gwybod y gân yn dda, ond gwrando wnaeth pawb nes iddi hi ddod at y pennill oedd yn dechrau, —

'A gaf i un gusan, fy morwyn ffein i?'

Fe neidiodd Sam Prydderch ar ei draed a rhoi ei fraich am ganol Blodwen a dechrau canu yn ei lle hi, —

'A gaf i un gusan, fy morwyn ffein i?'

a doedd Blodwen ddim yn anfodlon canu'r llinell nesaf. Fe ganodd hi gan lygadu'r porthmon, —

'Cei, os dymuni, O, syr, mynte hi.'

Fe ganodd y ddau gyda'i gilydd wedyn at ddiwedd y pennill, —

'Dau rosyn coch a dau lygad du,
Yn y baw a'r llaca, O, syr, gwelwch fi.'

Yna, ar y diwedd, fe blannodd Sam y Porthmon glamp o gusan ar foch Blodwen.

Roedd Sam yn disgwyl curo dwylo mawr wedi iddo fe orffen, ac ar ôl y gusan, wrth gwrs, ond edrych yn ddig roedd Siân a Catrin, ac meddai'r Capten gan edrych i lawr ei drwyn, 'Y bobl gyffredin yma. Dydyn nhw ddim yn gwybod sut i ymddwyn o gwbl,' er na ddywedodd e hynny'n ddigon uchel i Sam a Blodwen ei glywed e. Fe welodd y Sgweier fod rhaid iddo fe ddweud a gwneud rhywbeth i gadw'r cwmni yn llawen, a dyma fe'n taro ei law yn ei boced a gweiddi'n llon, —

'Da iawn! Da iawn! Sofren felen i Blodwen am ganu mor swynol i ni.'

Fe dynnodd e sofren o'i boced a'i tharo hi ar y bwrdd.

---

llaca — *mud*
anfodlon — *unwilling*
llygadu — *to eye*

os dymuni — *if you wish, like*
clamp — *whopper!*
dig — *angry*

'Beth amdanoch chi, Capten Prys? A chi, Mr. Prydderch?' gofynnodd e. 'Sofren bob un i Blodwen am ganu.'

Fe ddododd y Capten ei law yn ei hoced er bod golwg ddigon sarrug ar ei wyneb e o hyd. Fe sobrodd y porthmon am ryw funud bach pan glywodd e'r gair 'sofren'. Fe sylwodd y Sgweier — a'r Capten hefyd, — mai at ei het yr aeth ei lygaid e ar unwaith. Ond dyma fe'n dodi ei law yn ei boced a thynnu allan bwrs bach. Fe roiodd e sofren i Blodwen hefyd.

Yn sydyn, roedd pawb wedi blino. Roedd hwyl y nos wedi dod i ben gyda ffolineb y porthmon yn cusanu Blodwen. Fe ofynnodd y Capten am gannwyll i fynd i'r gwely. Roedd rhaid iddo fe gychwyn yn gynnar yn y bore, meddai fe. Fe ddywedodd y Sgweier ei bod hi'n hen bryd iddo fe feddwl am droi tua Pen Twyn, ac yn ddigon siŵr roedd Catrin a Siân Emwnt yn barod i'r gwely, er bod rhaid iddyn nhw gael y lle yn daclus yn barod erbyn y bore. Roedd yn amhosibl i Siân Emwnt feddwl am wely heb fod popeth yn ei le yn barod erbyn y bore.

Er ei fod e erbyn hyn yn hanner meddw ac yn dechrau pendwmpian, fe welodd Sam Prydderch fod hwyl y nos wedi dod i ben, a dyma fe'n gofyn i Blodwen, —

'Cannwyll, os . . . os gwelwch yn dda, c . . . c . . . cariad, a dangoswch i mi lle . . . lle mae fy . . . fy stafell i.'

'Na, fe ddangosa i lle mae eich stafell chi,' meddai Siân Emwnt. 'Dewch gyda fi.'

Fe roiodd Sam winc fawr feddw i Blodwen ac i ffwrdd ag e ar ôl Siân Emwnt.

'Nos da i chi i gyd,' meddai Sgweier Fychan, a gyda gwên fach i Catrin, allan ag e i iard y dafarn a'r stablau lle roedd e wedi gadael ei geffyl yng ngofal Twmi. Roedd Twmi wedi gadael lantern gannwyll i losgi yn y stabal. Fe sylwodd y Sgweier fod ceffyl mawr du yn y stâl nesaf at ei farch ei hun.

---

ffolineb — *folly*
cannwyll (canhwyllau) — *candle(s)*
meddw — *drunk, drunken*
pendwmpian — *to doze, to nod*

fe ddangosa i lle — *I'll show where*
stâl — *stall*

7

CAWOD O BUPUR

Eisteddodd Sam Prydderch ar erchwyn ei wely ac edrych ar ei het ar y bwrdd bach wrth ben y gwely. Er ei fod e'n hanner meddw, doedd e ddim wedi anghofio dod â'i het gydag e pan ddilynodd e Siân Emwnt i'r llofft. Sawl het oedd yno? A sawl cannwyll? Un . . . dwy . . . Fe rwbiodd y porthmon ei lygaid. Whiw! Roedd e wedi blino . . .

Fe ddeffrodd Sam Prydderch yn sydyn. Roedd rhaid ei fod e wedi pendwmpian ar ei eistedd ar erchwyn y gwely, ei ben e'n hongian yn llipa ar ei frest. Roedd ei ben e'n stiff ac roedd e'n teimlo'n oer. Cododd ei ben ac edrych ar y gannwyll. Roedd hi'n llai nag oedd hi pan ddaeth Siân Emwnt ag e i'r stafell. A'i het? A! Roedd hi yno ar y bwrdd o hyd. A dim ond un het oedd yno nawr. A dim ond un gannwyll. Roedd y porthmon wedi sobri tipyn.

Fe ddechreuodd e dynnu ei ddillad i fynd i'r gwely. Ond yn sydyn roedd e'n glustiau i gyd. Oedd e wedi clywed sŵn traed y tu allan i'w stafell? Y forwyn yna, efallai! Dyna guro ysgafn, ysgafn ar y drws. Fe aeth yntau'n dawel at y drws a'i agor. Fe gafodd e sioc fwyaf ei fywyd. Nid morwyn fach siapus oedd yno ond dyn tal mewn côt hir las. Roedd mwgwd am ei lygaid a phistol yn ei law.

'Yr Hebog!' meddai Sam Prydderch a'i lais e'n dynn yn ei wddw.

Fe geisiodd e gau'r drws yn wyneb y lleidr, ond roedd yntau wedi dodi ei droed yn y drws.

cawod — *shower*
pupur — *pepper*
erchwyn y gwely — *the bedside*

ar ei eistedd — *seated*
ysgafn — *light*

37

'Dim un gair,' meddai'r Hebog yn dawel yn ei lais chwyrn, 'neu fe fydda i'n saethu. I mewn â chi at y gwely yna. A diolch i chi am adael y gannwyll yn olau. Rydych chi wedi gwneud pethau'n hawdd i mi. Efallai eich bod chi'n disgwyl rhywun arall, e? Rydw i'n eich adnabod chi'r porthmyn.'

Ciliodd y porthmon yn ôl at y gwely, ac fe ddaeth yr Hebog i mewn i'r stafell a chau'r drws.

'Eisteddwch ar y gwely yna. Un cam gwag ac fe fydd bwled drwy eich pen. Fe fuoch chi'n ffôl iawn yn chwarae tric arna i heno. Ond does neb yn chwarae tric arna i heb dalu wedyn. Fe gofiwch beth ddywedais i. "Fe wela i di eto." A dyma fi wedi dod. Nawrte, eich arian! Mae arna i eisiau'r sofrenni y tro yma, nid ceiniogau. Ble rydych chi'n eu cadw nhw, Mr. Porthmon?'

'Does dim sofrenni gen i,' atebodd y porthmon, ac fe aeth ei lygaid e ar unwaith at ei het.

'Beth? Dim sofrenni ar ôl bod yn un o ffeiriau mwyaf Llundain? Ydych chi'n meddwl mai ffŵl ydw i? Faint o wartheg werthoch chi yno, dywedwch. Cant . . . dau gant? Neu fwy? O, mae digon o sofrenni gennych chi yn rhywle, Mr. Porthmon. Beth am yr het yna nawr?'

Roedd e wedi sylwi lle roedd llygaid y porthmon wedi mynd.

'Does dim byd yn yr het,' meddai'r porthmon ac ofn yn ei lais.

Fe gododd e ar ei draed i gydio yn yr het, ond saethodd yr Hebog ddwrn allan a'i wthio fe'n ôl ar y gwely.

'Eisteddwch chi fan yna,' meddai'r lleidr yn chwyrn, 'os ydych chi am fyw i weld diwrnod arall.'

Fe gydiodd e yn yr het.

'Hmmm! Mae pwysau mwy na'r cyffredin yn yr het yma. Beth sy ynddi hi, tybed. Nid haearn, rydw i'n siŵr, er ei bod hi'n ddigon trwm i hynny. Na, sofrenni melyn sy yn yr het yma, yntê?'

chwyrn — *rapid, rough*
hawdd — *easy*
cilio — *to retreat*
cam gwag — *false step*

dwrn — *fist*
os ydych chi am fyw — *if you wish to live*

38

Roedd y porthmon yn gwingo ar ei wely, ond roedd gormod o ofn arno fe i godi achos roedd pistol y lleidr yn pwyntio ato fe o hyd.

Ysgydwodd y lleidr yr het. Fe ddaeth sŵn hyfryd iawn i'w glustiau fe — sŵn arian yn tincian.

'A! Fe wn i. Mae hon yn het dal, yn dalach na'r cyffredin. Mae rhaid bod dau gorun iddi hi. Fe gawn ni weld nawr.'

Fe ddododd e'r het yn ôl ar y bwrdd bach a thynnu cyllell o boced ei gôt fawr. Fe blannodd e'r gyllell yn yr het a'i rhwygo hi.

'Oes, oes,' meddai'r lleidr. 'Mae dau gorun i'r het yma a lle gwag rhwng y ddau. Ond dydy'r lle gwag ddim yn wag nawr. Mae e'n llawn o sofrenni. Diolch yn fawr, Mr. Porthmon.' Ac fe arllwysodd e'r arian ar y bwrdd.

Roedd Sam Prydderch yn gwylio'i gyfle i neidio ar y lleidr, ond drwy'r amser, roedd y lleidr yn cadw'n ddigon pell oddi wrtho fe, ac roedd y pistol yn anelu ato fe, druan, o hyd. Fe wingodd e fel plentyn bach mewn breuddwyd wrth weld y sofrenni melyn wedyn yn diflannu i bocedi mawr y lleidr pen-ffordd. Roedd arno fe eisiau gweiddi, ond roedd e wedi colli ei arian. Doedd arno fe ddim eisiau colli ei fywyd hefyd.

'Peidiwch â mynd â f'arian i i gyd,' meddai fe a'r dagrau'n llanw ei lygaid e. 'Rydw i wedi gweithio'n galed am flwyddyn i ennill yr arian yma.'

'Ydych, mae'n siŵr. Dyma bum sofren i chi. Fe allwch chi dalu gwraig y dafarn yma â'r rhain, ac fe fydd peth gennych chi ar ôl, digon i chi gyrraedd adref yn ddiogel, ble bynnag rydych chi'n byw.'

Dododd y lleidr bum sofren ar y bwrdd, ac yna meddai fe, —

'A dyma rywbeth arall i chi.'

---

gwingo — *to writhe*
ysgwyd — *to shake*
corun — *crown (of hat or head)*
gwylio'i gyfle — *watching his chance*

anelu — *to aim, to take aim*
dagrau — *tears*
fe allwch chi — *you can*
crwn — *round*

Fe dynnodd e focs bach crwn o'i boced, gwasgu'r caead yn agored a thaflu'r cynnwys yn wyneb y porthmon.

'Dyna fe i chi! Pupur! Pupur! Mae e'n beth da i glirio'r pen.'

Allan ag e wedyn, a'r porthmon druan yn hisian ac yn tisian yn y gawod bupur ac yn rhwbio'i lygaid a'u gwneud nhw i losgi'n waeth. Fe glywodd e sŵn traed y lleidr yn disgyn y grisiau o'r llofft, yna sŵn ceffyl yn carlamu'n wyllt y tu allan.

'Y diafol! Mae e wedi dwyn f'arian i i gyd.'

Rhedodd Sam Prydderch at ddrws ei stafell a gweiddi nerth ei ben, —

'Help! Help! Yr Hebog! Mae e wedyn dwyn f'arian i i gyd.'

Aeth yn ôl ac eistedd ar erchwyn y gwely a dagrau'r pupur — a'i dristwch ei hunan — yn rhedeg i lawr ei fochau garw. Oedd, roedd e wedi sobri'n llwyr nawr.

Dyna sŵn drysau'n agor a chau wedyn, a'r person cyntaf i gyrraedd oedd Siân Emwnt a'i channwyll yn ei llaw. Roedd hi wedi taro côt dros ei choban nos a phâr o esgidiau am ei thraed. Yn syth wedyn, yn eu cobanau, fe ddaeth Catrin a Blodwen.

'Beth sy'n bod, Sam Prydderch?' gofynnodd Siân. 'Dydych chi ddim wedi tynnu amdanoch. Beth rydych chi'n ei wneud yn eich dillad yr amser hyn o'r nos? Beth sy'n bod yma?'

'Yr Hebog! Mae e wedi bod yma, ac mae e wedi dwyn f'arian i i gyd. Ac mae e wedi taflu cawod o bupur yn fy llygaid i, a dydw i ddim yn gallu gweld dim,' meddai Sam Prydderch gan ysgwyd ei ben yn ôl a blaen.

'Ac roeddech chi wedi gadael eich cannwyll yn olau, yn ôl pob golwg. Nawrte, gadewch i mi eich gweld chi nawr,' meddai Siân. 'Codwch eich pen, da chi. Wela i ddim byd a chithau'n dal eich pen i lawr fel yna.'

---

caead — *lid*
cynnwys — *contents*
gwaeth — *worse*
boch(au) — *cheek(s)*
yn llwyr — *completely*
coban(au) nos — *night-dress*

yn ôl pob golwg — *to all appearances*
wela i ddim byd — *I can see nothing*
da chi — *for goodness sake*

Cododd y porthmon ei ben, ac yn wir, roedd golwg druenus arno fe, ei lygaid e'n goch a'r dagrau'n rhedeg i lawr ei fochau fel y glaw.

'Ow, druan â chi,' meddai Blodwen. 'Gadewch i mi olchi'r pupur yna o'ch llygaid chi, syr.' Ac fe aeth hi at y jwg mawr o ddŵr oedd ar fwrdd wrth y ffenestr.

'Na, na!' meddai'r porthmon. 'Mae rhaid i rywun fynd ar ôl y lleidr yna. Mae e wedi dwyn f'arian i gyd. Fe glywais i ei geffyl e'n carlamu i lawr y ffordd. Mae rhaid mynd ar ei ôl e ar unwaith.'

'Does neb yma i fynd ar ei ôl e,' meddai Siân Emwnt. 'Dim ond Twmi'r gwas, ac mae e'n cysgu uwchben y stabal. A beth bynnag, mae e'n rhy hen.'

Yn sydyn, fe gofiodd hi am y Capten — Capten Prys.

'Rhyfedd na ddaeth e ar ôl yr holl sŵn a'r gweiddi yna,' meddyliodd Siân. Yna, meddai hi, 'Catrin, dos i weld lle mae Capten Prys . . . ydy e yn ei stafell. Dos â dy gannwyll gyda thi. Mae'n rhyfedd na ddaeth e ddim yma. Mae'n siŵr ei fod e wedi clywed y sŵn. Fe ydy'r unig un allith fynd ar ôl y lleidr.'

Oedd, roedd yn beth syn i Siân fod y Capten heb godi ar unwaith. Roedd e'n filwr ac wedi bod yn y fyddin, os nad oedd e ddim yn y fyddin o hyd. Roedd e'n ddigon balch o gario'r teitl 'Capten' beth bynnag.

Fe aeth Catrin i stafell y Capten Prys, ac fe droiodd Siân i helpu Blodwen i olchi llygaid Sam Prydderch druan. Ond druan ag e! Chafodd e ddim cysur gan Siân.

'Roeddech chi'n ffôl i geisio twyllo'r Hebog yna. Fe ddywedodd e y byddai fe'n dod ar eich ôl chi eto. Ond mae rhaid i mi ddweud na fyddwn i byth yn disgwyl iddo fe dorri i mewn i'r Bedol chwaith. Ond dywedwch, Sam Prydderch, ble roeddech chi'n cadw'ch arian.'

'Yn fy het,' meddai fe gan bwyntio at ei het ar y bwrdd bach wrth ben y gwely.

'Yn eich het! Roeddwn i'n meddwl mai fan yna roedden

truenus — *woeful, wretched*   cysur — *comfort*
yr unig un allith — *the only one who can*

41

nhw. Roeddech chi mor ofalus ohoni hi amser swper,' meddai Siân, ac roedd rhaid iddi adael y gwaith o olchi wyneb a llygaid y porthmon i gael golwg arni hi. Fe gododd hi'r het yn ei dwylo.

'Wel wir, mae'r diafol yna wedi torri twll yng nghorun yr het, Sam Prydderch.'

Fe edrychodd Siân ar yr het yn fwy manwl.

'A! Rydw i'n gweld. Mae hon yn het arbennig, Sam Prydderch. Mae corun arall y tu mewn i'r twll yma, a dyna lle roeddech chi'n cadw'r sofrenni — yn y lle gwag rhwng y ddau gorun. Does dim rhyfedd na thynsoch chi hi wrth y bwrdd amser swper nes bod y Capten yn siarad yn gas â chi. Rhyfedd na chawsoch chi boenau yn eich pen a'r holl bwysau yna arno fe hefyd.'

Roedd Siân yn barod i chwerthin, ond ar yr un pryd, roedd yn ddrwg iawn ganddi hi dros y porthmon druan. Roedd hi'n siŵr ei fod e wedi colli cyfoeth misoedd o waith caled. Roedd hi'n lwcus fod y lleidr ddim wedi mynd â'i harian hi. Ond dyma Catrin yn dod yn ôl o stafell y Capten.

'Dydy e ddim yna,' meddai hi.

'Be . . . beth?' gofynnodd Siân yn syn.

'Dydy'r Capten ddim yn ei stafell. Mae'r lle yn wag. Mae e wedi mynd achos dydy ei het na'i gôt ddim yno chwaith. Fe ddaeth e â nhw i'r llofft, rydw i'n cofio,' meddai Catrin.

Tro Sam Prydderch oedd hi nawr i ddweud, 'Be . . . beth?' Yna, 'Rydw i'n siŵr mai fe ydy'r Hebog. Wrth gwrs, mae'r peth yn ddigon clir nawr. Fe oedd yn gofyn i mi dynnu fy het neithiwr, ac roeddwn i'n ei weld e'n fy llygadu fi a'r het drwy'r nos pan oedden ni'n cael swper. Mae'r dyn yna mor gyfrwys â llwynog.'

'Efallai wir, ei fod e'n gyfrwys fel llwynog, ond dydw i ddim yn meddwl mai fe ydy'r Hebog chwaith,' meddai Siân Emwnt.

'Pam rydych chi'n dweud hynny, Siân Emwnt?' gofynnodd Sam. 'Mae'n ddigon eglur i mi. Roedd côt fawr

yn fwy manwl — *in greater detail, in more detail*
ar yr un pryd — *at the same time*

mor gyfrwys â llwynog — *as cunning as a fox*
eglur — *clear*

las ganddo fe, ac roedd côt fawr las gan y lleidr ddaeth i mewn i'r stafell yma. A'i lais e hefyd. Llais cras fel crawcian brân. Rydw i'n siŵr mai fe ydy'r lleidr — fe, y Capten Prys yna. A nawr mae e wedi dianc. Dydy e ddim mwy o gapten yn y fyddin nag ydw i. Lleidr pen-ffordd ydy e, ac un beiddgar iawn hefyd. Sôn am fod yn gwrtais ac yn y blaen! Roedd rhaid iddo fe fynd i olchi ei ddwylo cyn dod at y bwrdd i gael swper. Eisiau gwybod ei ffordd o gwmpas y tŷ yma roedd e. Mae'r peth yn ddigon eglur nawr.'

'Efallai eich bod chi'n iawn, Sam Prydderch . . . *Mr.* Prydderch.'

Catrin oedd yn siarad nawr.

'Roedd ei lygaid e . . . chi'n gwybod . . . roedden nhw'n edrych drwyddoch chi. Ach!'

'Dos di'n ôl i'r gwely. Does dim rhagor i ti ei wneud yma nawr,' meddai ei mam yn llym.

Fe aeth Catrin gan godi ei thrwyn ar ei mam.

Erbyn hyn, roedd Blodwen wedi gorffen sychu wyneb y porthmon.

'Ydych chi'n teimlo'n well nawr, syr?' meddai hi. 'Ydy'ch llygaid chi'n llosgi nawr?'

'Wel, dydyn nhw ddim gwaeth,' atebodd Sam yn gwynfannus.

'Fe allech chi fod yn fwy diolchgar i'r ferch, Sam Prydderch,' meddai Siân. 'Diolch, Blodwen. Fe elli di fynd yn ôl i'r gwely nawr hefyd.'

Yn ei choban ac yn droednoeth roedd y ferch o hyd, ac os oedd llygaid y porthmon yn well, roedd e'n gallu gweld mwy. Ie, y gwely oedd y lle gorau i'r ferch.

'I ffwrdd â thi, Blodwen.'

Fe aeth Blodwen. Yna, fe droiodd Siân at y porthmon unwaith eto.

'A chi, Sam Prydderch, tynnwch eich dillad ac i mewn i'r gwely yna â chi. A chofiwch ddiffodd y gannwyll y tro

---

crawcian — *to caw, to croak*
beiddgar — *daring, bold*
cwynfannus — *plaintive*
fe allech chi fod — *you could be*

fe elli di — *you can*
troednoeth — *barefoot*
diffodd — *to extinguish, to put out*

yma. Fe gawsoch chi ormod i'w yfed amser swper, neu fe fyddech chi wedi gallu eich amddiffyn eich hunan yn well. Nos da nawr.'

Na, doedd dim cysur i'w gael gan Siân Emwnt.

Fe aeth Siân allan o'r stafell a chau'r drws ar ei hôl. Ond cyn mynd yn ôl i'w gwely, fe aeth hi i lawr i'r gegin a chymryd lantern a mynd allan i'r stabal. Roedd arni hi eisiau gwybod oedd ceffyl Capten Prys yno o hyd. Doedd hi ddim mor bendant ei meddwl â Sam Prydderch mai fe oedd yr Hebog, ac mai fe oedd wedi dianc gyda'r arian. Wedi'r cwbl, roedd hi wedi clywed yr Hebog yn gweiddi pan ymosododd e ar y goets. Roedd hi wedi clywed y Capten yn siarad hefyd, ac iddi hi, roedd y lleisiau'n wahanol.

Fe aeth hi i mewn i'r stabal. Nac oedd! Doedd yno ddim ceffyl dierth. Ysgydwodd Siân ei phen yn ansicr a mynd yn ôl i'r tŷ, ac i'r llofft ar ôl dodi'r lantern yn ôl yn ei lle. Ond cyn troi i'w gwely ei hun, fe edrychodd hi ar ddrws stafell y porthmon; fe edrychodd hi hefyd yn stafell Capten Prys. Doedd dim golau'n dangos dan ddrws y porthmon; roedd stafell Capten Prys o hyd yn wag. Fe aeth hi'n ôl i'w gwely . . .

amddiffyn — *to defend*
pendant — *definite*
wedi'r cwbl — *after all*

gwahanol — *different*
ansicr — *uncertain*

44

8

GWŶR Y BRENIN

Diffoddodd Siân Emwnt ei channwyll a thynnu'r dillad drosti hi. O, roedd hi'n braf bod yn ôl yn y gwely ar ôl holl helynt y nos — yr Hebog yn ymosod ar y goets ac yna'n torri i mewn i'r Bedol ac yn dwyn holl arian Sam Prydderch y porthmon. Roedd hi'n falch cael cau ei llygaid. Cyn hir fe fyddai'n fore. Ond doedd dim tawelwch i'w gael yn Y Bedol y noson honno. Roedd Siân yn llithro i gwsg hyfryd pan glywodd hi sŵn curo mawr ar ddrws ffrynt y dafarn. Cododd ar ei heistedd yn y gwely a gwrando.

'Wel, pwy yn y byd mawr sy yna nawr?' meddai hi'n ddiflas. 'Dydy'r Hebog ddim wedi dod yn ôl eto, does bosib.'

Dyna'r curo mawr ar y drws unwaith eto nes bod pawb yn y tŷ'n deffro — Catrin, Blodwen, Sam Prydderch — pawb. Ond chlywodd Siân neb ohonyn nhw'n symud. Roedd gormod o ofn arnyn nhw, mae'n debyg. Siân Emwnt oedd meistres y tŷ, ac fe fyddai pawb yn disgwyl iddi hi fynd i ateb y drws.

Fe oleuodd hi ei channwyll am y trydydd tro y noson honno. Tynnodd gôt fawr dros ei choban nos, gwisgo'r hen bâr yna o esgidiau am ei thraed, ac i lawr â hi at y drws yn anfodlon iawn. Roedd y person oedd yn curo wrth y drws wedi dechrau gweiddi nawr.

---

dwyn — *to steal*
fe fyddai'n fore — *it would be morning*

cododd ar ei heistedd — *she sat up*
diflas — *miserable, wretched*
anfodlon — *unwilling*

45

'Agorwch! Agorwch yn enw'r brenin!'

'O, cau dy geg yn enw Duw!' meddai Siân wrthi ei hunan yn flinach fyth ei thymer. 'Beth sy'n bod ar bawb heno?'

Fe aeth hi at y drws, ond cyn ei agor, meddai hi, —

'Pwy sy yna? Dydw i ddim yn agor y drws yma nes fy mod i'n gwybod yn iawn pwy sy yna.'

Fe ddaeth yr ateb yn syth.

'Tri o Wŷr y Brenin. Agorwch y drws ar unwaith, neu fe fydd hi'n ddrwg arnoch chi.'

'O, o'r gorau,' atebodd Siân, ac yn anfodlon iawn, fe agorodd hi'r drws. Daliodd ei channwyll uwch ei phen er mwyn gweld yn well pwy oedd yno, er bod y lleuad yn dal i daflu ei golau arian dros bob man.

Yno roedd tri dyn yn dal ffrwynau eu ceffylau. Roedd yn amlwg o'u gwisg mai Gwŷr y Brenin oedden nhw.

'Wel, beth ydy'ch busnes chi yma yr amser hyn o'r nos . . . neu'r bore, dylwn i ddweud,' meddai Siân. 'Does dim tawelwch i'w gael yma heno . . . nac oes, dim tawelwch . . . "

Fe dorrodd un o'r dynion ar ei thraws hi.

'Sarjant Huws ydw i, a Gwŷr y Brenin ydyn ni'n tri. Rydyn ni ar ôl yr Hebog. Fe glywson ni ei fod e wedi ymosod ar y goets fawr heno pan oedd hi ar ei ffordd o Aberhonddu i Lanymddyfri. Meddwl roedden ni efallai eich bod chi wedi gweld rhywun . . . wel, rhywun dierth o gwmpas y lle yma heno. Efallai fod rhywun dierth wedi galw hyd yn oed yn y lle yma.'

'Wel, rydw i'n gwybod bod rhywun wedi ymosod ar y goets heno, achos roeddwn i arni hi ar y pryd, ac mae rhywun dierth wedi bod yma heno, yn y dafarn yma. Neb llai na'r Hebog ei hunan. Wel, rydyn ni'n meddwl mai'r Hebog oedd e,' atebodd Siân yn araf gan fwynhau pob gair o'r dweud.

yn flinach fyth ei thymer — *still more bad-tempered*
fe fydd hi'n ddrwg arnoch chi — *it will be bad for you*
yn dal i daflu ei golau — *continuing to throw its light*
ffrwyn(au) — *bridle(s)*
neb llai na — *none other than*

' Beth? Mae e wedi bod yn y dafarn yma heno? ' meddai Sarjant Huws yn syn.

Erbyn hyn, roedd Catrin a Blodwen wedi codi hefyd, a dyna lle roedden nhw'n gwrando ychydig bellter i ffwrdd o'r drws.

' Ydy, mae e wedi bod yma, ac mae e wedi dwyn arian Sam Prydderch, — porthmon ydy e sy'n digwydd bod yn aros yma dros nos. Fe aeth e ag arian Sam Prydderch i gyd, a thaflu cawod o bupur i'w lygaid e, druan,' meddai Siân.

' Pryd roedd e . . . y lleidr . . . yma? ' gofynnodd y Sarjant.

' Llai na chwarter awr yn ôl. Roeddwn i newydd fynd i'r gwely ar ôl golchi'r pupur o lygaid y porthmon pan ddaethoch chi.'

' Welsoch chi'r Hebog? Beth ydy'ch enw chi? ' gofynnodd y Sarjant gan neidio o un cwestiwn i'r nesaf.

' Siân Emwnt ydy f'enw i, a fi ydy meistres a pherchen y dafarn yma, Y Bedol, ond welais i mo'r lleidr, ond fe welodd Sam Prydderch e achos fe ddaeth e i mewn i'w stafell a dwyn yr arian o'i het.'

' O'i het? '

' Ie. Dyna lle roedd e'n cadw ei sofrenni melyn.'

' Yn ei het! '

' Dyna beth ddywedais i.'

' Ydy'r porthmon yma nawr? ' gofynnodd y Sarjant wedyn.

' Ydy, wrth gwrs.'

' Fe fyddai'n beth da cael gair ag e, os ydy hynny'n bosibl.'

' Wrth gwrs, mae hynny'n bosibl.'

Roedd Catrin erbyn hyn wedi closio at ei mam, a dyma hi'n dweud, —

' Rydyn ni'n gwybod pwy ydy Hebog y Nos.'

Roeddwn i newydd fynd — *I had*   fe fyddai'n beth da — *it would*
   just gone   *be a good thing*
                                        closio at — *to close up to*

'Beth? Rydych chi'n gwybod? Pwy ydy e?' gofynnodd y Sarjant yn llawn diddordeb.

'Dyn o'r enw Capten Prys. O leiaf, dyna roedd e'n ei alw ei hun. Ond efallai mai rhywbeth arall ydy ei enw iawn e,' atebodd Catrin.

'Sut rydych chi'n gwybod mai'r Capten Prys yma ydy'r Hebog?'

'Achos roedd e'n aros yma heno . . . Wel, roedd e'n cael swper yma gyda ni a'r Sgweier, ond pan es i i'w stafell e i chwilio amdano fe i fynd ar ôl yr Hebog, doedd e ddim yno.'

'Ie, ewch ymlaen.'

'Wel,' meddai Catrin, 'mae'r Hebog bob amser yn gwisgo côt las — dyna beth mae pobl yn ei ddweud — ac roedd côt fawr las gan Capten Prys hefyd. A doeddwn i ddim yn hoffi'r ffordd roedd e'n edrych arnoch chi chwaith . . . na'i lais e . . .'

'Ei lais e?'

'Ie, y llais cras oedd ganddo fe.'

'Pryd daeth y Capten yna yma?'

'Pan oedden ni'n barod i gael swper. Fe ddaeth e ar gefn ei geffyl.'

Siân Emwnt oedd yn ateb nawr. Roedd hi'n teimlo ei bod hi'n cael ei gadael allan yn yr oerfel.

'Ble gadawodd e ei geffyl?'

'Gyda Twmi'r gwas, wrth gwrs, ac fe aeth Twmi ag e i'r stabal,' meddai Siân. 'Ac fe alla i ddweud wrthoch chi nawr fod ei geffyl e ddim yn y stabal nawr. Fe fues i yno'n edrych ar ôl rhoi'r porthmon yn ei wely.'

Rhwbiodd Sarjant Huws ei ên. Chwarter awr yn gynt ac fe fyddai fe wedi cael ei gyfle i ddal yr Hebog.

'Mae'n rhy hwyr i ni fynd ar ei ôl e nawr,' meddai fe'n ddiflas.

'Na, dydy hi ddim yn rhy hwyr,' meddai Siân. Roedd arni hi eisiau mynd yn ôl i'r gwely. 'Efallai ei fod e'n

yr oerfel — *the cold*　　　　　cyfle — *chance, opportunity*

cuddio yn rhywle heb fod ymhell oddi yma. Ac mae hi'n dal yn olau leuad.'

Fe gofiodd Sarjant Huws rywbeth.

'Beth am y porthmon yma?'

'Mae e'n bendant mai Capten Prys ydy'r Hebog, ac rydych chi wedi cael y disgrifiad ohono fe gan y ferch yma. Dydyn ni ddim yn gwybod dim rhagor amdano fe,' meddai Siân. 'Ydych chi'n meddwl y gallwn ni fynd yn ôl i'r gwely nawr?'

'Mae'n ddrwg gen i fynd â chymaint o'ch amser chi, a chithau wedi colli cymaint o gwsg yn barod heno, meistres, ond rydych chi'n gweld, rydyn ni wedi cael ein danfon yn arbennig i'r rhan yma o'r wlad i ddal y lleidr pen-ffordd yma. Fel gwyddoch chi, mae e'n ddyn peryglus ac mae e wedi ymosod ar aml i goets a cherbyd, ac mae e wedi dwyn cymaint o arian a chyfoeth o bob math . . .'

'Aeth e ddim â f'arian i beth bynnag. Ac rydw i'n meddwl y byddai'n well i chi fynd ar ei ôl e nawr, yn lle clebran fan hyn,' meddai Siân yn finiog.

'Does dim rhaid i chi fod mor flin. Dim ond gwneud ein gwaith rydyn ni,' atebodd y Sarjant yn ddig. 'Wnawn ni mo'ch poeni chi ddim rhagor. Dewch, ddynion,' meddai fe a stopio'n sydyn. Yna, gofyn, — 'Pa ffordd aeth y Capten yma?'

'Wn i ddim,' atebodd Siân Emwnt. 'Chlywais i mohono fe'n mynd. Ond aeth e ddim y ffordd y daethoch chi, neu fe fyddech chi wedi ei weld e neu ei glywed e, os . . . os na welodd e chi neu'ch clywed chi gyntaf.'

'Fe ddaethon ni o Aberhonddu,' meddai'r Sarjant.

'Wel, fe aeth e tua Llanymddyfri, mae'n siŵr gen i,' atebodd Siân, 'os nad ydy e'n cuddio yn rhywle.'

'Diolch,' meddai'r Sarjant yn gwta. Roedd rhyw syniad ganddo fe fod y wraig yma'n cael hwyl am ei ben e.

---

heb fod ymhell i ffwrdd — *not far away*
dal yn olau leuad — *still moonlight*
pendant — *definite*
ar aml i goets — *on many a coach*
clebran — *to chatter, to gossip*
wnawn ni mo'ch poeni chi — *we won't trouble you*
cael hwyl — *to have fun*

49

'Dewch, dynion!'

Neidiodd y tri dyn ar gefn eu ceffylau a throi tua Llanymddyfri . . .

'Hoffwn i ddim bod yn ŵr i'r hen wrach yna,' meddai Sarjant Huws wrth ei ddynion fel roedden nhw'n trotian ymlaen. Roedd e'n teimlo'n flin ei dymer. Roedd e wedi colli ei gyfle i ddal yr Hebog o ryw chwarter awr, a doedd fawr o obaith ei ddal e nawr. Ond fe benderfynodd e fynd ymlaen.

'Hoffwn i ddim chwaith,' meddai Lewsyn, un o'r ddau filwr oedd gyda'r Sarjant.

'Hoffi beth?' gofynnodd y Sarjant.

'Hoffwn i ddim bod yn ŵr i'r hen wrach yna yn Y Bedol,' meddai Lewsyn, 'fel dywedsoch chi.'

'Hy!' oedd unig ateb y Sarjant. Roedd e wedi dechrau meddwl am bethau eraill. Ond un o'r ardal oedd **Lewsyn** ac roedd e'n gwybod ychydig am hanes Siân Emwnt a'r Bedol.

'Maen nhw'n dweud bod ei gŵr hi wedi yfed ei hunan i farwolaeth o achos ei thafod hi. Mae tafod hen wrach ganddi hi,' meddai Lewsyn.

'Oes. Gobeithio na fydd dim rhaid i ni fynd yn ôl yna eto. Cadwch eich llygaid ar agor, ddynion. Fe allith yr Hebog yna fod yn cuddio yn rhywle, a dydy e ddim yn beth hawdd cuddio ceffyl chwaith. Beth bynnag, mae'r lleuad yn dal i wenu i fyny acw,' meddai'r Sarjant.

Oedd, roedd y lleuad yn dal i wenu i fyny acw, ond roedd coed yn tyfu ar un ochr i'r ffordd nawr ac yn taflu eu cysgod dros y ffordd. Fe ddaeth y tri milwr at groesffordd ryw filltir o'r Bedol a sefyll yno a gwrando. Ond doedd dim i'w glywed, dim ond sŵn y nos — sŵn y dail yn ysgwyd ar y coed yn y gwynt ysgafn, deilen yma ac acw'n disgyn,

---

gwrach — *witch*
blin ei dymer — *cross (bad) tempered*
o ryw chwarter awr — *by a quarter of an hour*

doedd fawr o obaith — *there wasn't much hope*
croesffordd — *crossroads*
deilen (dail) — *leaf (leaves)*

anifail bach yn llithro drwy'r glaswellt, ci'n cyfarth yn y pellter a buwch yn brefu yn rhywle. Meddai'r Sarjant, —

'Hoffwn i ddim byw allan yn y wlad fel hyn. Mae hi fel y bedd yma.'

Un o wŷr y dref oedd e. Yn sydyn, dyna fe'n clywed sŵn, ac nid sŵn y nos oedd hwn.

'Ust!' meddai'r Sarjant. 'Rydw i'n clywed sŵn heb fod ymhell i fyny'r ffordd yna ar y dde . . . Mae'n swnio fel ceffyl yn stablan . . . Dyna fe eto. Ceffyl yn stablan ydy e hefyd. Dewch, ddynion, ond peidiwch â gwylltu!'

Fe aeth y tri dyn ymlaen yn ofalus, ac yna, fe welson nhw'r ceffyl yn sefyll ar ganol y ffordd ac yn stablan yn aflonydd.

'Edrychwch! Mae ffrwyn yn ei ben e, a chyfrwy ar ei gefn, ond ble mae'r marchog? Mae rhaid bod y ceffyl wedi baglu neu rywbeth a thaflu ei farchog,' meddai'r Sarjant. 'Rydw i'n mynd i ddal pen y ceffyl. Chwiliwch chi am y marchog.'

Neidiodd y ddau filwr i lawr, ond doedd dim rhaid iddyn nhw chwilio ymhell. Fe gawson nhw'r marchog yn gorwedd yn y glaswellt ar ochr y ffordd. Roedd e'n anymwybodol, ac roedd yn amlwg ei fod e wedi cael ei frifo'n ddrwg. Roedd un ochr i'w ben e'n waed i gyd, ac roedd hwnnw wedi sychu'n grystyn. Fe gawson nhw hefyd gangen o goeden ar ochr y ffordd.

'Dyma'r marchog,' gwaeddodd Lewsyn ar y Sarjant. Mae e'n anymwybodol ar y glaswellt yma. Mae e wedi cael niwed drwg iawn i'w ben, gallwn feddwl. Mae rhaid bod y ceffyl wedi baglu dros y gangen yma. Efallai fod y ceffyl wedi cael niwed hefyd. Mae'n well i chi edrych, Sarjant.'

Roedd y Sarjant yn barod wedi disgyn oddi ar ei geffyl ei hun, a nawr fe edrychodd e ar benliniau ceffyl y marchog. Oedd, roedd y ceffyl wedi baglu a chrafu ei benliniau.

bedd — *grave*	anymwybodol — *unconscious*
stablan — *to stamp*	gwaed — *blood*
aflonydd — *restless*	cangen — *branch*
marchog — *rider, knight*	penliniau — *knees*
baglu — *to stumble*	crafu — *to scratch*

Yna, fe ddaeth y Sarjant ymlaen at y ddau filwr gan dynnu'r ceffylau wrth eu ffrwynau ar ei ôl. Edrychodd ar wyneb y marchog anymwybodol a'r crystyn o waed ar ochr ei ben.

'Pwy ydy'r dyn yma, tybed. Mae e'n edrych fel gŵr bonheddig. Ei gôt e hefyd. Hei! Beth ddywedodd y ferch yna yn y dafarn oedd lliw côt yr Hebog?' gofynnodd Sarjant Huws yn sydyn.

'Glas, os ydw i'n cofio'n iawn,' atebodd Lewsyn.

'Mae'r gôt yma'n las hefyd, rydw i'n meddwl. Mae'n amhosibl dweud yn iawn yn y golau yma. Mae rhaid i ni gael y dyn yma'n ôl i'r Bedol. Efallai mai hwn ydy'r Capten Prys yna roedden nhw'n sôn amdano.'

'Roedden nhw yn Y Bedol yn meddwl mai'r Capten oedd yr Hebog,' mentrodd Lewsyn.

'Ac os hwn ydy'r Capten Prys . . . wel . . .' meddai Sarjant Huws. 'Ond y peth cyntaf ydy ei gael e i'r Bedol. Nawrte, mae arna i eisiau eich help chi i'w godi fe. Fe ddodwn ni fe ar gefn fy ngheffyl i. Nawrte, gyda'n gilydd!'

Fe gododd y tri milwr y marchog anymwybodol a'i ddodi fe ar gefn ceffyl y Sarjant. Doedd e ddim yn waith hawdd.

'Fe eistedda i ar y cyfrwy y tu ôl iddo fe i'w gadw fe rhag syrthio,' meddai'r Sarjant. 'Dewch chi â'i farch e, Lewsyn. I ffwrdd â ni nawr. Efallai ein bod ni wedi ei tharo hi'n lwcus heno wedi'r cwbl.'

---

fe ddodwn ni fe — *we'll put him* fe eistedda i — *I'll sit*

Y MARCHOG CLWYFEDIG

Roedd Siân Emwnt yn gorwedd yn aflonydd yn ei gwely ac yn breuddwydio. Roedd y ffrae fwyaf ofnadwy yn mynd ymlaen yng nghegin Y Bedol — dynion yn gweiddi ac yn rhegi a rhai'n curo'r bwrdd mawr â'u potiau cwrw. A dacw ddau ddyn ar y llawr yn ymladd. Pwy oedden nhw? Y Sgweier? Ie, fe oedd un ohonyn nhw. A'r llall? Capten Prys! Roedd y ddau'n gwisgo cotiau mawr glas ac yn ymladd fel dau gi ar y llawr. Fe aeth Siân i geisio'u gwahanu nhw. A dyna'r dynion eraill yn y gegin yn gweiddi'n uwch ac yn curo'r bwrdd â'u potiau cwrw nes bod y lle'n crynu i gyd. Yn araf, fe ddaeth Siân ati ei hun a sylweddoli bod rhywun yn gweiddi; bod sŵn curo mawr yn rhywle. Fe sylweddolodd hi am yr ail dro y noson honno — neu'r bore hwnnw! — fod rhywun yn gweiddi y tu allan i'r Bedol ac yn curo'r drws yr un pryd.

'Dyn a'n helpo ni! Pwy sy yna nawr?' meddai Siân. 'Mae'r lle yma wedi'i witsio heno. Mae rhaid i mi godi. Fydd neb arall yn symud. Rydw i'n meddwl fy mod i'n adnabod y llais yna hefyd. Y Sarjant! Ydy e wedi dal yr Hebog, tybed. Fe gawn ni weld nawr.'

Ac unwaith eto y noson honno, fe oleuodd Siân Emwnt

clwyfedig — *wounded*
ymladd — *to fight*
gwahanu — *to separate*
gweiddi'n uwch — *to shout louder*

dod ati (ato) ei hun — *to come to her (him) self*
crynu — *to shake, to tremble*
sylweddoli — *to realise*

ei channwyll a gwisgo côt dros ei choban nos ac i ffwrdd
â hi at ben y grisiau. Roedd Catrin yno'n barod a'i chan-
hwyllbren yn crynu yn ei llaw. Ond doedd dim sôn am
Blodwen. Roedd hi wedi penderfynu, mae'n siŵr, ei bod
hi wedi cael llond bol ar helyntion y nos.

'Beth sy'n bod nawr, mam?' gofynnodd Catrin yn
gynhyrfus.

'Sarjant Huws sy yna wrth ei lais e,' meddai Siân. 'Mae
e wedi dal yr Hebog, siŵr o fod.'

'Ydych chi'n dod, wraig?' gwaeddodd y Sarjant o'r tu
allan.

'Ydw, ydw, rydw i'n dod. Does dim tawelwch i'w gael
yma o gwbl heno,' meddai Siân yn gwynfannus.

Fe gafodd hi sioc pan agorodd hi'r drws. Roedd y Sarjant
ac un o'i ddynion yn dal trydydd dyn yn eu breichiau.
Roedd y trydydd dyn yma'n anymwybodol, ac wedi ei
frifo'n ddrwg, achos roedd ei freichiau fe'n hongian yn llipa
a'i ben e'n rholio ar ei frest fel pen dyn meddw. Doedd dim
het am ei ben e chwaith. Roedd hi'n gallu gweld y gwaed
a'r baw hyd yn oed yng ngolau gwan ei channwyll. Allai
hi ddim gweld ei wyneb e, ond roedd syniad da iawn
ganddi hi pwy oedd y dyn clwyfedig.

'Dewch ag e i mewn i'r gegin fawr. Catrin, rho'r pocer
yn y tân a rho bren neu ddau arno fe. Mae'n siŵr bod rhyw
fflam fach yn rhywle. Fe fydd eisiau dŵr cynnes arnon ni
i olchi clwyfau'r dyn yma.'

Rhedodd Catrin i'r gegin fawr a fflam ei channwyll yn
dawnsio ac yn agos at ddiffodd, ac fe gariodd y Sarjant a
Lewsyn y marchog clwyfedig i mewn i'r dafarn, a Siân yn
goleuo'r ffordd â'i channwyll.

'Dodwch e i orwedd ar y fainc yna,' meddai Siân wrth y
Sarjant.

'Rydw i'n credu ein bod ni wedi dal yr Hebog o'r
diwedd,' meddai'r Sarjant wrth ddodi'r dyn i orwedd ar y

---

canhwyllbren — *candlestick*
cynhyrfus — *agitated, excited*
baw — *dirt*

allai hi ddim gweld — *she could
not see*
clwyf(au) — *wound(s)*
mainc — *bench, settle*

54

fainc. 'Fe gawson ni fe'n gorwedd yn y glaswellt wrth y groesffordd nesaf yma, a'i geffyl e'n stablan ar ganol y ffordd. Roedd y ceffyl wedi baglu dros hen gangen o goeden a thaflu ei farchog. Rydw i'n credu mai'r Capten Prys ydy'r dyn yma. Mae e wedi ymosod ar y goets am y tro olaf.'

Tra oedd y Sarjant yn clebran mor ddi-stop, roedd Siân wedi plygu dros y dyn anymwybodol gan ddal ei channwyll uwch ei phen i weld ei wyneb e'n well. Llyncodd Siân ei gwynt yn sydyn.

'Rydych chi'n adnabod y dyn yma,' meddai'r Sarjant. 'Capten Prys ydy e?'

'Capten Prys? Nage. Y Sgweier ydy'r dyn yma. Sgweier Fychan. Roedd e'n cael swper yma heno,' meddai Siân.

Roedd Catrin yn dodi tegell ar y tân pan glywodd hi enw'r Sgweier. Fe redodd hi at ei mam ar unwaith.

'O, mam, ydy e wedi brifo'n ddrwg?'

'Rydw i'n ofni ei fod e, Catrin. Ei dalcen e ydy'r gwaethaf, rydw i'n meddwl. Ond fe allwn ni weld yn well wedi i mi olchi'r crystyn gwaed yma i ffwrdd.'

Roedd y Sarjant yn sefyll wrth ymyl y ddwy ac yn gwrando arnyn nhw'n siarad.

'Nid yr Hebog ydy'r dyn yma, felly? Nid Capten Prys ydy e?'

Fe droiodd Catrin ato fe.

'Ydych chi'n meddwl dweud mai'r Sgweier ydy'r Hebog?' meddai hi. 'Peidiwch â siarad mor ffôl.'

'Ddywedodd e ddim mai'r Sgweier ydy'r Hebog, Catrin fach,' meddai Siân. 'Meddwl mae e mai Capten Prys, efallai, ydy'r Hebog. Dos di'n ôl at y tân nawr. Mae rhaid i ni gael dŵr cynnes i olchi ei glwyfau fe. Na, aros! Mae'n well i mi dynnu'r gôt fawr yma'n gyntaf. Mae hi'n fwd ac yn faw i gyd. Tyrd i helpu, Catrin.'

'Fe helpa i chi,' meddai Sarjant Huws. Roedd e wedi'i siomi'n fawr nad Capten Prys oedd y marchog clwyfedig, ac er nad oedd ganddo fe lawer o ddiddordeb yn y Sgweier, roedd e'n eithaf parod i helpu.

llyncu — *to swallow*   fe helpa i chi — *I'll help you*
talcen — *forehead*   siomi — *to disappoint*
gwaethaf — *worst*

'Na, na,' meddai Siân yn frysiog. 'Mae merched yn gallu gwneud y gwaith yma'n well na dynion.'

Yn araf a gofalus, gyda help Catrin, fe dynnodd Siân gôt fawr y Sgweier.

'Nawrte, Catrin, rho glustog dan ei ben e tra ydyn ni'n aros i'r dŵr yn y tegell yna gynhesu. Fe â i â'r gôt i'r gegin gefn. Fe â i i nôl padell a chadachau yr un pryd,' meddai Siân. 'Ac mae eisiau rhagor o ganhwyllau hefyd.'

Fe aeth Siân Emwnt â'r gôt i'r gegin fach gefn, a'r peth cyntaf wnaeth hi oedd chwilio'n ofalus drwy'r pocedi. Yna, yn ôl â hi i'r gegin fach a phadell a chadachau glân a chanhwyllau gyda hi. Roedd Catrin yn penlinio wrth y fainc gan dynnu ei llaw yn dyner ar draws gwefusau gwelw'r Sgweier. Roedd dagrau yn ei llygaid hi, ac roedd y Sarjant a Lewsyn yn ei gwylio hi a'u hwynebau nhw'n llawn pryder am y ferch. Roedd y trydydd milwr wedi mynd i roi'r ceffylau yn yr iard y tu cefn i'r dafarn.

'Ydy e'n dod ato'i hun, Catrin?' gofynnodd Siân.

'Nac ydy, mam. Ydy e wedi marw? Mae ei wyneb e mor welw ac oer.'

'Wedi marw? Nac ydy, ond gad i mi wrando ar ei galon e,' meddai'r fam. 'A chi, Sarjant, rhowch olau ar y canhwyllau yna.'

Penliniodd Siân wrth ochr ei merch a dodi ei chlust ar frest y Sgweier. Safodd pawb mor dawel â'r bedd.

'Nac ydy. Dydy e ddim wedi marw. Fe alla i glywed ei galon e'n curo'n eithaf cryf. Fe ddaw e ato'i hun cyn bo hir. Edrych ydy'r dŵr yn y tegell yn cynhesu, Catrin.'

Erbyn hyn roedd fflamau cynnes yn codi dan dîn y tegell. Cododd Catrin y caead a dodi ei bys yn y dŵr.

'Mae'r dŵr yn cynhesu, mam.'

'Arllwys beth ohono fe i'r badell. Fe fydd e'n ddigon

brysiog — *hasty*
clustog — *cushion*
padell — *bowl*
cadach(au) — *cloth(s)*
penlinio — *to kneel*
gad i mi — *let me*

fe alla i — *I can*
fe ddaw e ato'i hun — *he'll come to himself*
cynhesu — *to warm*
tîn — *backside*
caead — *lid*

cynnes i ni ddechrau golchi'r gwaed a'r baw yma i ffwrdd.
Fe allwn ni weld faint o niwed mae e wedi'i gael wedyn.'

'O, mam!' meddai Catrin a'r dagrau'n dechrau rhedeg
i lawr ei bochau tlws.

'Ust, nawr! Paid â bod yn fabi bach,' meddai Siân yn
dyner wrth ei merch. Fe synnodd y ddau filwr glywed 'yr
hen wrach' yn siarad mor garedig â'i merch. Efallai fod
calon ganddi hi wedi'r cwbl. Roedd y Sarjant yn dechrau
meddwl hefyd efallai fod rhywbeth rhwng y ferch bryd-
ferth yma a'r Sgweier. Doedd golau'r canhwyllau ddim mor
wan nad oedd e'n gallu gweld mor brydferth oedd y ferch.
Mor wahanol i'w mam. Ond efallai ei bod hi'n ddigon hardd
yn ei dydd!

Golchodd Siân wyneb y Sgweier yn dyner-ofalus, ond
roedd y gwaed a'r baw o'r ffordd wedi sychu'n galed, a
doedd e ddim yn dod i ffwrdd yn hawdd iawn.

'Fe fu e'n gorwedd yn hir yn y glaswellt yna, Sarjant.
Edrychwch mae'r gwaed yma wedi sychu'n grystyn caled
fel haearn.'

'O, mam!' meddai Catrin a'i chalon yn torri.

'O, ust, ferch! Rho'r pocer yna yn y tân eto. Na, chi,
ddynion! Gwnewch rywbeth yn lle sefyll fan yna fel dau
ddelw. Chwythwch dipyn ar y tân yna. Fe gynhesith y
tegell gymaint â hynny'n gynt wedyn.' Yna, wrth Catrin,
'Arllwys di'r dŵr o'r badell yma. Mae e'n faw i gyd nawr.
Tafl e allan i'r iard. Ac fe fydd eisiau rhagor o gadachau
glân hefyd. Mae digon yn y cwpwrdd mawr yn y gegin
gefn. Rwyt ti'n gwybod lle maen nhw.'

Pan ddaeth Catrin yn ôl â'r badell wag a rhagor o
gadachau, roedd y tân yn llosgi'n braf a'r tegell yn dechrau
canu.

'Mae'r dŵr yn y tegell yna'n ddigon cynnes nawr yn ôl
ei sŵn e, Catrin. Arllwys beth ohono fe i'r badell a thyrd ag
e yma,' meddai Siân Emwnt.

---

fe allwn ni — *we can*
faint o niwed — *how much harm*
delw(au) — *statue(s), image(s)*

fe gynhesith y tegell — *the kettle will warm*
gymaint â hynny'n gynt — *that much sooner*

'O'r gorau, mam.'

Arllwysodd Catrin y dŵr o'r tegell i'r badell a mynd ag e i'w mam.

'Mae'r Sgweier yn hir yn dod ato'i hun, mam,' meddai Catrin.

'O, fydd e ddim yn hir nawr. Dydy ei wyneb e ddim mor welw.'

Gwrandawodd Siân ar galon y Sgweier.

'Mae ei galon e'n curo'n gryfach nawr hefyd. Dos di i alw Blodwen, Catrin. Fe fydd eisiau llanw'r tegell eto, ac mae'n siŵr bod eisiau bwyd ar y dynion yma.'

Erbyn hyn roedd y trydydd milwr wedi dod i mewn ar ôl rhoi'r ceffylau'n ddiogel yn yr iard.

'Fe â i i nôl dŵr i chi,' meddai'r Sarjant, 'dim ond i chi ddweud lle mae e i'w gael.'

'Na, na,' atebodd Siân. 'Mae'r ffynnon allan yn yr iard, ac fe fyddech chi'n siŵr o faglu dros rywbeth. Fe allith Blodwen nôl dŵr. Ac fe allith Catrin baratoi tipyn o fwyd i chi. Ewch chi gyda hi nawr i'r gegin gefn.'

Fe synnodd y tri milwr mor dyner a charedig roedd 'yr hen wrach' yn gallu bod. Doedd hi ddim cymaint o hen wrach wedi'r cwbl. Ac roedd yn dda iawn ganddyn nhw ddilyn Catrin i'r gegin gefn achos roedd eu boliau nhw'n wag fel bedd newydd, ac roedden nhw wedi diflasu sefyll fel delwau yn gwneud dim ond edrych ar Siân Emwnt ac wyneb gwelw'r Sgweier. Roedden nhw'n siomedig hefyd nad yr Hebog oedd y marchog clwyfedig . . . Roedden nhw wedi gobeithio eu bod nhw wedi ei ddal e o'r diwedd . . .

Fe gododd Blodwen o'r diwedd a dod â phiser o ddŵr i lanw'r tegell. Fe gynhyrfodd hi drwyddi pan welodd hi pwy oedd yn gorwedd ar y fainc.

'O, Sgweier bach!' meddai hi gan redeg ato fe. Fe fu bron iddi hi ollwng y piser dŵr drosto fe. 'Beth sy wedi digwydd? Beth sy'n bod ar y Sgweier?'

---

ffynnon — *well, spring*
fe allith Blodwen — *Blodwen can*
siomedig — *disappointed*

piser — *pitcher, can*
cynhyrfu — *to excite, to agitate*

'Wedi syrthio oddi ar ei geffyl mae e a tharo'i ben a'i dalcen,' atebodd Siân. 'Llanw di'r tegell yna nawr, Blodwen, a rho fe'n ôl ar y tân, ac wedyn, dos i helpu Catrin i roi bwyd i'r dynion yna.'

'Oes dim eisiau help arnoch chi, meistres?'

'Nac oes, ddim eto. Dydy'r Sgweier ddim wedi dod ato'i hun eto. Dos di nawr . . .'

Fe ddaeth Sgweier Fychan ato'i hun o'r diwedd, ac erbyn hyn roedd Siân Emwnt wedi golchi ei glwyfau fe'n lân ac wedi dodi cadach glân am ei dalcen lle roedd y clwyfau waethaf. Fe agorodd e ei lygaid ac edrych o'i gwmpas heb wybod yn iawn ble roedd e na beth oedd wedi digwydd.

'Ble rydw i?' gofynnodd e a'i lais e'n wan ac yn crynu. 'Beth sy wedi digwydd?'

'Mae popeth yn iawn,' cysurodd Siân Emwnt. 'Rydych chi yn Y Bedol.'

'O, Siân Emwnt, chi sy yna. Beth sy wedi digwydd a beth rydw i'n ei wneud yma?'

'Fe syrthioch chi oddi ar eich ceffyl ar eich ffordd adref ar ôl cael swper yma heno . . . neu neithiwr dylwn i ddweud.'

'Ar ôl swper?'

'Ie. Eich ceffyl chi faglodd dros gangen o hen goeden oedd wedi syrthio ar draws y ffordd, a'ch taflu chi i'r llawr. Rydych chi wedi cael tipyn o niwed i'ch pen a'ch talcen, ond eich talcen ydy'r gwaethaf. Ond mae popeth yn iawn nawr, ac felly, peidiwch â phoeni dim. Fe allwch chi aros yma heno. Fe wna i wely i chi yma.'

'Ond, Siân Emwnt, sut y des i yma? Pwy ddaeth â fi yma? Mae rhaid bod rhywun wedi fy ngharlo i yma. Rydw i'n cofio troi ar y groesffordd i fynd tua Pen Twyn, ac yna . . . beth ddigwyddodd . . . A! Rydw i'n cofio nawr. Fe faglodd fy ngheffyl . . . a dydw i'n cofio dim rhagor!'

'Rydych chi'n siarad gormod, Sgweier bach, ac yn eich cynhyrfu'ch hunan. Mae rhaid i chi orwedd yn dawel am ychydig.'

cysuro — *to comfort*   fe wna i wely — *I'll make a bed*

'Ond pwy ddaeth â fi yma? Mae rhaid i fi wybod, Siân Emwnt.'

'Tri o Wŷr y Brenin.'

'Gwŷr y Brenin?' meddai'r Sgweier yn gynhyrfus. 'Na!' Ac fe geisiodd e godi ar ei eistedd.

'Nawr, nawr, Sgweier bach! Gorweddwch yn dawel nawr, a rhowch eich pen yn ôl ar y glustog yma.'

'Ond beth roedd Gwŷr y Brenin yn ei wneud yma?' gofynnodd y Sgweier wedyn. Roedd e wedi'i gynhyrfu'n fawr iawn.

'Fe ddaeth yr Hebog yn ôl yma a mynd i stafell Sam Prydderch y porthmon. Rydych chi'n cofio cael swper gyda fe.'

Nodiodd y Sgweier ei ben. Saethodd y poenau mwyaf ofnadwy drwy ei ben i gyd.

'Aw!' meddai fe. 'Ond ewch ymlaen, Siân Emwnt.'

'Fe aeth yr Hebog ag arian Sam Prydderch i gyd a thaflu cawod o bupur yn ei lygaid e hefyd, ac wedyn i ffwrdd ag e fel taran i lawr y ffordd. Wel, dyna beth ddywedodd Sam Prydderch â'i dafod ei hun.'

'Ond o ble roedd y Gwŷr y Brenin yma wedi dod?'

'Fe ddaethon nhw yma ychydig ar ôl i'r Hebog ddianc. Roedden nhw wedi clywed ei fod e wedi ymosod ar y goets fawr heno ac roedden nhw'n mynd ar ei ôl e. Fe gawson nhw chi'n gorwedd yn y glaswellt ar ochr y ffordd wrth y groesffordd a'ch ceffyl chi'n stablan ar ganol y ffordd.'

'Ble mae Taran nawr? Gafodd e niwed hefyd?'

'Naddo, dydw i ddim yn meddwl iddo fe gael unrhyw niwed. Beth bynnag, ddywedodd y milwr yna ddim. Mae e yn yr iard nawr. Fe ddaeth un o Wŷr y Brenin ag e'n ôl. Mae popeth yn iawn. Gorweddwch chi'n dawel nawr. Fe â i i ddweud wrth Blodwen i baratoi gwely i chi, ac wedyn fe ga i help y milwyr yna i'ch cario chi i'r llofft.'

'Y milwyr? Gwŷr y Brenin? Ydyn nhw yma nawr?'

'Peidiwch â chynhyrfu, Sgweier bach. Ydyn, maen nhw

fe ga i help — *I'll get help*   peidiwch â chynhyrfu — *don't excite yourself* yma. Maen nhw'n cael bwyd gyda Catrin a Blodwen yn y gegin gefn.'

'Nac ydyn!' Roedd rhyw olwg ryfedd, ofnus yn llygaid y Sgweier. Yna, fe sylweddolodd e'n sydyn fod rhywun wedi tynnu ei gôt fawr. 'Fy nghôt! Ble mae hi, Siân Emwnt?'

'Yn y gegin gefn. Fe dynnais i eich côt chi. Roedd hi'n fwd ac yn faw i gyd. Mae eisiau ei glanhau hi, Sgweier.'

'Ewch i'w nôl hi, Siân Emwnt. Mae rhaid i fi fynd adref.'

'Dydych chi ddim yn symud o'r lle yma heno, nac am rai dyddiau eto nes bod eich clwyfau chi wedi gwella,' meddai Siân Emwnt yn benderfynol. 'A pheidiwch â phoeni am eich côt. Mae popeth yn iawn. Peidiwch â phoeni o gwbl, ydych chi'n clywed?'

'A fy het, Siân Emwnt?'

'O, mae'n debyg ei bod hi yn y glaswellt lle syrthioch chi, Sgweier. Fe â i i'w nôl hi y peth cyntaf yn y bore wedi iddi hi oleuo.'

'Diolch, Siân Emwnt. Rydych chi'n garedig dros ben . . . yn fwy na charedig . . . '

'Efallai fy mod i, Sgweier Fychan. Efallai wir. Ffôl hefyd, efallai,' meddai Siân. 'Nawr, peidiwch â symud o'r fainc yna, a pheidiwch â phoeni am eich côt na dim arall. Rydw i'n mynd i ddweud wrth Blodwen i baratoi gwely i chi, ac wedyn, fe allith y milwyr yna eich helpu chi i fynd i'r llofft. Mae'n siŵr eu bod nhw wedi cael digon i'w fwyta erbyn hyn.'

Fe aeth Siân Emwnt allan i'r gegin gefn. Mewn byr amser roedd hi'n ôl a'r milwyr a Catrin a Blodwen gyda hi. Fe redodd Catrin at y Sgweier yn syth.

'O, Sgweier, rydych chi'n well. O, rydw i'n falch,' meddai hi gan benlinio wrth y fainc a chydio yn ei law e.

'Hei, dyna ddigon, ferch,' meddai llais llym Siân Emwnt. 'Mae rhaid cadw'r Sgweier yn dawel. Mae e wedi cael ei glwyfo'n ddrwg, cofia.' Yna, gan droi at Blodwen, meddai hi, 'I'r llofft yna, Blodwen, i baratoi gwely i'r Sgweier. Fe fydd e'n aros yma am rai dyddiau nes ei fod e'n gwella tipyn. Mae'r hen Lowri Pen Twyn yn rhy hen i ofalu amdano fe'n iawn. Fe gaiff e bob gofal yma.'

'O'r gorau, meistres,' meddai Blodwen ac i ffwrdd â hi i'r llofft.

Fe droiodd Siân wedyn at y milwyr, a Siân Emwnt y feistres oedd yn siarad nawr, —

'Nawrte, chi, Sarjant Huws a'r ddau arall yna, fe allwch chi gario'r Sgweier i'r llofft. Mae e'n rhy wan i gerdded. Byddwch yn ofalus nawr a pheidiwch â'i ysgwyd e, neu efallai y bydd e'n dechrau gwaedu eto. Mae e wedi colli digon o waed yn barod.'

Fe aeth y tri milwr at y Sgweier a'i godi fe'n ofalus. Yn sydyn, dyna lais o'r drws, llais cwta, siarp.

'Arhoswch! Rhowch y dyn yna i lawr ar y fainc. Fe ydy Hebog y Nos!'

fe gaiff — *he'll have (get)*

10

DIANC

Fe droiodd pawb ac edrych tua'r drws. Yno'n sefyll gan bwyntio at y Sgweier roedd Capten Prys. Safodd pawb yn syn a'u cegau ar agor. Siân Emwnt oedd y cyntaf i ddeall pwy oedd yno a beth roedd e'n ceisio'i ddweud.

'Capten Prys! Roedden ni'n meddwl eich bod chi wedi dianc gydag arian Sam Prydderch y porthmon,' meddai hi.

'Na, es i ddim ag arian y porthmon. *Fe* sy'n gorwedd ar y fainc yna ydy'r lleidr. *Fe* ymosododd ar y goets heno. *Fe* sy wedi dwyn yr arian.'

Fe neidiodd Sarjant Huws pan glywodd e enw Capten Prys. Roedd e'n ddigon siŵr yn ei feddwl ei hun, ac yn ôl y wybodaeth gafodd e gan Siân Emwnt a'i merch, Catrin, mai hwn, y Capten Prys yma, oedd yr Hebog. A dyma fe nawr mor feiddgar â dod yn ôl a phwyntio bys at y Sgweier.

'Arhoswch chi nawr,' meddai'r Sarjant gan symud yn gyflym at Capten Prys. 'Yn ôl y wybodaeth sy gen i, chi ydy'r Hebog.' Ond roedd cwestiwn mawr yn ei feddwl e nawr. Os y dyn yma oedd yr Hebog, pam roedd e wedi dod yn ôl i'r Bedol? Roedd pawb yn dweud mai un beiddgar oedd yr Hebog, ond ffolineb noeth oedd dod yn ôl fel hyn. Beth bynnag, doedd e ddim am adael i'r capten yma, neu beth bynnag oedd e, fynd nes ei fod e wedi cael eglurhad llawn. Efallai nad oedd e'n disgwyl gweld Gwŷr y Brenin yno, ond unwaith roedd e wedi rhoi ei droed drwy'r drws

---

gwybodaeth — *knowledge, information*
yn ôl y wybodaeth — *according to the information*

beiddgar — *bold, daring*
eglurhad — *explanation*

roedd rhaid iddo fe feddwl am ryw dric i'w gael ei hunan allan wedyn. Efallai ei fod e'n ceisio bod yn glyfar iawn yn dod yn ôl fel hyn ac yn rhoi'r bai ar rywun arall. Roedd pob math o feddyliau'n rhedeg drwy ben y Sarjant, ond roedd e'n ddigon penderfynol nad oedd y Capten yma'n cael symud nes iddo fe gael yr hanes yn iawn ac yn llawn ganddo fe. Meddai fe wrth ei ddynion, —

'Sefwch rhwng y Capten a'r drws. Mae llawer o bethau nad ydw i ddim yn eu deall yn iawn eto.'

Fe aeth y ddau filwr a sefyll rhwng y Capten a'r drws. Doedd dim dianc iddo fe y ffordd yna, beth bynnag.

Edrychodd y Capten yn ddirmygus ar y milwyr.

'Peidiwch â phoeni,' meddai fe. 'Does dim rhaid i mi feddwl am ddianc, ac mae'n ddigon amlwg na allith hwn ar y fainc yma ddim dianc chwaith. Mae'n amlwg bod arnoch chi eisiau eglurhad ar beth sy wedi digwydd yma heno, Sarjant. Rydw i'n gweld oddi wrth eich gwisg mai Sarjant ydych chi. Rydw i hefyd yn filwr, cofiwch.'

Roedd llygaid pawb yn y stafell ar y Capten nawr. Roedd rhyw ofn yn llygaid Catrin, ac roedd wyneb y Sgweier mor wyn â'r galchen, ond edrych yn ddirmygus roedd Siân Emwnt.

'Pam rydych chi'n dweud mai'r Sgweier ydy'r Hebog?' gofynnodd hi.

Fe ddaeth ateb y Capten yn syth.

'Achos dim ond fe a fi oedd yn gwybod lle roedd y porthmon yn cadw ei arian.'

'O? Dim ond chi a'r Sgweier, ie? Roeddwn i'n gwybod hefyd, Mr. Capten Prys,' meddai Siân Emwnt a'r un olwg ddirmygus ar ei hwyneb.

'Wel, ble roedd e'n cadw ei arian?'

'O, mae llygaid gen i fel sy gennych chi, Capten Prys. Yn ei het e roedd yr arian.'

Ddywedodd hi ddim ei bod hi wedi gweld yr het a'r twll roedd yr Hebog wedi ei wneud ynddi hi. Dyna hi'n gofyn wedyn, —

---

bai — *blame, fault*
dirmygus — *scornful*

fel y galchen — *like a sheet*
calch — *lime*

'Oeddech chi'n gwybod mai yn ei het e roedd yr arian?'
'Oeddwn, wrth gwrs.'
'Sut roeddech chi'n gwybod?'
'Achos fe glywais i'r porthmon twp yna'n gweiddi, ac roeddwn i wedi sylwi ar yr het wrth y bwrdd swper. Roeddwn i'n siŵr wedyn mai'r Sgweier oedd y lleidr, wel, fe neu fi, ac roeddwn i'n gwybod nad fi oedd y lleidr.'

Dyma'r Sarjant yn rhoi ei big i mewn.

'Dim ond eich gair chi sy gennyn ni. Efallai fod gennych chi eglurhad pellach. A does neb yn symud o'r tŷ yma nes i mi gael eglurhad llawn ar bob dim sy wedi digwydd yn y tŷ yma heno.'

'O'r gorau, fe gewch chi'r eglurhad,' meddai'r Capten, 'er nad ydw i'n gweld bod eisiau i mi roi unrhyw fath o eglurhad. Ond dyma fe i chi.

'Roeddwn i'n gorwedd yn gysurus yn y gwely pan glywais i'r porthmon yn gweiddi am help. Fe glywais i hefyd sŵn traed yn mynd yn frysiog i lawr y grisiau. Neidiais o'r gwely a thynnu fy nillad amdana i a rhedeg i lawr i'r stabal a chyfrwyo fy ngheffyl. I ffwrdd â fi ar ôl y lleidr. Rhyw ddau funud roeddwn i'n gwisgo a chyfrwyo'r ceffyl a'r cwbl, ac mae ceffyl da iawn gen i, siawns dda gen i felly i'w ddal e. Mae sŵn ceffyl yn carlamu ar y ffordd i'w glywed ymhell iawn yn nhawelwch y nos. Fe stopiais i ddwywaith neu dair i wrando, ond chlywais i ddim byd. Mae'n siŵr fy mod i wedi mynd rhyw dair milltir pan feddyliais i mai'r peth gorau i mi ei wneud oedd chwilio lle roedd Sgweier Fychan yn byw. Fe welais i fwthyn bach ar ochr y ffordd, ac fe fues i am funudau'n curo wrth ddrws hwnnw cyn i mi gael ateb. Fe ges i ateb o'r diwedd, er nad agorodd y person oedd yn byw yno mo'r drws. Mae rhaid ei fod e'n meddwl mai lleidr neu un o'r *press gang* neu rywbeth oeddwn i.'

'Fyddwn i ddim yn synnu mai rhywbeth fel yna ydych chi chwaith,' meddai Siân Emwnt, ond chwerthin wnaeth y Capten.

cyfrwyo — *to saddle*   fyddwn i ddim yn synnu — *I wouldn't be surprised*

'Beth bynnag,' meddai fe, 'fe ddywedodd y dyn yn y bwthyn i mi fynd yn ôl at y groesffordd a throi i'r chwith yno. A dyna beth wnes i ac fe ffeindiais i fy ffordd i Ben Twyn.'

'Ond pam roeddech chi'n mynd i Ben Twyn?' gofynnodd Siân Emwnt. 'Fe fyddai'r Sgweier wedi cael amser i guddio'r arian.'

'Byddai, ond fyddai fe ddim wedi gallu cuddio'r ceffyl,' meddai Capten Prys a rhyw olwg glyfar iawn ar ei wyneb.

'Cuddio'r ceffyl?' Doedd Siân Emwnt ddim yn deall y Capten.

'Ie. Rydych chi'n gweld, Siân Emwnt, os oedd y ceffyl yn boeth ac yn chwysu — yn chwysu, cofiwch — fe fyddai hynny'n profi ei fod e wedi bod allan ac wedi cael ei yrru'n galed . . . fel cath ar dân.'

'Rydych chi'n glyfar iawn, Capten,' meddai Siân Emwnt.

'Digon clyfar i meistres Y Bedol.'

'Tybed?' meddai Siân ac edrych arno fe â llygaid cath. 'Ond doedd ceffyl y Sgweier ddim yno, Capten Prys.'

'Nac oedd. Fe ges i drafferth ofnadwy i gael neb i ateb yno eto, er i mi guro a churo wrth y drws. Ond fe ddaeth rhyw hen ffŵl o was o'r diwedd.'

'Llai o'r hen ffŵl, Capten Prys, os gwelwch chi'n dda.'

Y Sgweier oedd wedi torri ar ei draws e. Roedd y Sgweier wedi bod yn gwrando'n dawel ar eglurhad y Capten, a doedd e ddim wedi trafferthu dweud dim, ond pan ddechreuodd e siarad yn ddirmygus am ei hen was ffyddlon, roedd rhaid iddo fe roi ei big i mewn.

'Mae'n ddrwg gen i, Sgweier Fychan. Mae'n siŵr bod yr hen ddyn yna yn was da a ffyddlon i chi. Beth bynnag, fe ddywedodd e, ar ôl gweld nad oedd eich ceffyl gorau chi yn y stabal — roedd yna gaseg arall — fe ddywedodd e eich bod chi wedi mynd i ffwrdd, yn ôl pob tebyg, fel

bwthyn — *cottage*
chwith — *left*
fe fyddai'r Sgweier wedi cael amser — *the Squire would have had time*
poeth — *hot*

chwysu — *to sweat*
profi — *to prove*
caseg — *mare*
yn ôl pob tebyg — *in all probability*

66

byddech chi'n ei wneud yn aml, meddai fe. Doedd dim i'w wneud wedyn ond dod yn ôl yma. A dyma chi, Sgweier Fychan, neu Hebog y Nos, yn gorwedd ar y fainc yma a chadach am eich pen.'

Yna fe droiodd y Capten at Sarjant Huws, ac meddai fe yn ei lais mwyaf cwta, milwrol, —

'Mae'n amlwg beth mae'n rhaid i chi ei wneud nawr.'

Ond doedd hi ddim yn amlwg i'r Sarjant 'beth roedd rhaid iddo fe ei wneud', achos dyma fe'n gofyn mewn un gair, —

'Beth?'

'Mynd â'r dyn yma i'r ddalfa yn Aberhonddu, wrth gwrs.'

'Mynd ag e i'r ddalfa? Dim ar eich bywyd!'

Siân Emwnt oedd wedi torri ar ei draws e.

'O, na! Yma mae'r Sgweier nawr, ac yma mae e'n aros nes ei fod e wedi gwella.'

'Na,' meddai Sarjant Huws hefyd. Roedd e wedi bod yn gwrando'n ofalus ar stori'r Capten, ond doedd e ddim yn siŵr eto yn ei feddwl pa un o'r ddau ddyn, y Sgweier neu'r Capten, oedd y lleidr pen-ffordd. Ond nawr roedd e wedi cael fflach sydyn o oleuni. Roedd e wedi meddwl am rywbeth fyddai'n sicr o brofi oedd y Capten yn dweud y gwir neu beidio.

'Arhoswch, Capten,' meddai fe. 'Dydyn ni ddim yn siŵr eto pwy ydy'r lleidr . . . wel, dydw i ddim yn siŵr. Rydych chi'n dweud mai'r Sgweier yma ydy'r lleidr. Wel, fe allwn ni brofi nawr ydych chi'n dweud y gwir neu beidio.'

'Sut?' gofynnodd Siân Emwnt.

'Drwy chwilio drwy bocedi côt fawr y Sgweier. Dydw i ddim yn meddwl iddo fe gael digon o amser i guddio'r arian, ac felly, os fe ydy'r lleidr, mae'r arian yn ei bocedi fe o hyd. Fe aethoch chi â'i gôt e i'r gegin, Siân Emwnt.'

'Do, do,' meddai Siân.

'Wel, ewch i'w nôl hi ar unwaith.'

'O'r gorau.'

fel byddech chi'n ei wneud yn aml — *as you often did*
milwrol — *military*

goleuni — *light*
neu beidio — *or not, or otherwise*

67

Cynhyrfodd y Sgweier drwyddo, a chododd ar ei eistedd ar y fainc.

'Does neb yn mynd i chwilio drwy fy mhocedi i,' meddai fe'n ddig.

Cydiodd Siân Emwnt ynddo fe a'i wthio fe'n dawel yn ôl ar y glustog.

'Peidiwch â chynhyrfu, Sgweier. Gorweddwch yn dawel nawr. Mae pawb yn gwybod nad chi ydy'r lleidr. Gadewch i'r Sarjant bach yma chwilio drwy eich pocedi chi er mwyn clirio'ch enw da chi. Catrin,' meddai hi wrth ei merch, 'dos di i nôl côt fawr y Sgweier. Mae'n well i mi aros yma gyda'r Sgweier.'

'Ac fe fyddai'n well i un o'ch dynion chi fynd gyda hi, Sarjant,' meddai Capten Prys. 'Mae yna rywbeth rhwng y ferch yma a'r Sgweier.'

'Gwyliwch eich tafod, Capten,' meddai Siân yn ddig. 'Ond anfonwch chi un o'ch dynion gyda hi, Sarjant. Fe fydd yn hawdd i'r Capten yma ddianc wedyn.'

'Does dim llawer o berygl o hynny,' atebodd Sarjant Huws. 'Ewch chi gyda'r ferch, Lewsyn.'

'Na, na!' meddai'r Sgweier wedi ei gynhyrfu'n fawr. 'Does dim hawl gennych chi.'

'Hawl neu beidio, Sgweier Fychan, rydw i am chwilio drwy eich pocedi chi. Mae rhaid i mi gael gwybod y gwir. Ewch, Lewsyn!'

Pan ddaeth Lewsyn a Catrin yn ôl gan gario'r gôt fawr, fe chwiliodd y Sarjant yn ofalus drwyddi hi — y pocedi, y leinin, y coler a'r cwbl — a'r Sgweier druan yn gwingo ar ei fainc.

'Does dim arian yn y gôt yma, Capten Prys, na mwgwd na phistol na dim,' meddai Sarjant Huws wedi iddo fe orffen chwilio. Roedd e wedi'i siomi'n fawr, ac roedd golwg y diafol ei hun ar wyneb Capten Prys.

'Mae e wedi cuddio'r arian yn rhywle,' meddai'r Capten. 'Cymerwch e i'r ddalfa.'

---

dig — *angry*   hawl — *right, privilege*

'Dydw i ddim yn meddwl ei fod e wedi cael amser i guddio'r arian, Capten Prys. Roedd e'n gorwedd yn y glaswellt am amser hir, yn ôl Siân Emwnt, ac rydw i'n ei chredu hi, achos fe welais i â fy llygaid fy hun fod y gwaed ar wyneb y Sgweier wedi caledu fel crystyn.'

Yn sydyn, fe droiodd e at Siân Emwnt.

'Fuoch chi ddim yn chwilio drwy ei bocedi fe pan aethoch chi â'r gôt i'r cefn, naddo?'

'Y dyn! Beth rydych chi'n ceisio'i ddweud? Fe fyddwch chi'n dweud nesaf mai fi ydy'r Hebog. Fe ddylai hi fod yn ddigon amlwg i chi erbyn hyn mai'r Capten yma ydy'r Hebog a'i fod e'n ceisio rhoi'r bai ar rywun arall, y dyn beiddgar ag e!'

Beiddgar! Roedd y gair yn canu fel cloch yn ymennydd y Sarjant. Beiddgar! Doedd fawr o olwg dyn beiddgar ar y Sgweier druan yn gorwedd ar ei fainc. Ond y Capten yma! Roedd golwg ddigon beiddgar arno fe.

Fe droiodd e at y Capten.

'Mae'n bosibl mai chi ydy'r Hebog wedi'r cwbl, Capten Prys.'

'Fi? O, ewch i'r diawl, y dyn twp! Fe ofala i eich bod chi'n colli'r tair streipen yna sy gennych chi ar eich llawes,' a gyda'r gair fe redodd e allan o'r stafell ac allan o'r dafarn. Cyn i'r Sarjant sylweddoli beth oedd yn digwydd, fe ddaeth sŵn ceffyl y Capten yn carlamu i lawr y ffordd i'w glustiau fe . . .

---

credu — *to believe*
caledu — *to harden*
fe ddylai hi fod — *it ought to be*
ymennydd — *brain(s)*

diawl — *devil*
streipen — *stripe*
llawes — *sleeve*

69

11

CHWILIO AM HET

Safodd y Sarjant fel dyn mewn breuddwyd.

'Damio!' meddai fe.

Safodd Siân Emwnt hefyd ac edrych arno fe am eiliad neu ddwy. Yna, —

'Hei!' meddai hi. 'Ydych chi ddim yn mynd ar ôl y lleidr yna? Peidiwch â sefyll fel delw fan yna. Mae ei geffyl e wedi blino ar ôl carlamu cymaint o gwmpas y wlad yma heno. Fe fyddwch chi'n siŵr o'i ddal e.'

'Efallai, Siân Emwnt. Ond dywedwch wrtho i yn gyntaf. Pam roedd yr Hebog — pwy bynnag ydy'r Hebog — pam roedd e wedi dod yn ôl yma heno? Os ydw i'n deall pethau'n iawn, fe ddaeth e'n ôl a dwyn arian y porthmon o'i het. On'd oedd e wedi cael arian y porthmon pan ymosododd e ar y goets fawr heno?'

Chwerthodd Siân Emwnt.

'Nac oedd. Fe chwaraeodd y porthmon, Sam Prydderch, dric arno fe drwy daflu pwrs yn llawn o geiniogau ar y llawr wrth draed ei geffyl. Fe ddaeth y lleidr yn ôl yma heno er mwyn cael y sofrenni hefyd.'

'Rydw i'n gweld,' meddai'r Sarjant gan grafu ei ên yn araf.

'Rydych chi'n gweld hefyd pam rydyn ni yma'n meddwl mai Capten Prys ydy'r Hebog. Mae'r ffaith ei fod e wedi dianc nawr yn ddigon i brofi hynny. Welson ni erioed mohono fe tan heno, ond mae'r Sgweier yn dod yn aml i'r

eiliad neu ddwy — *a second or two*

70

Bedol. Fe wyddon ni dipyn o hanes y Sgweier, ond wyddon ni ddim am y Capten yma,' meddai Siân.

'Wel, mae e wedi mynd yn rhy bell i ni fynd ar ei ôl e nawr.'

Roedd y Sarjant wedi cael y syniad hefyd fod y wraig yma'n rhy barod i ddweud mai'r Capten oedd yr Hebog. Oedd ganddi hi ryw reswm dros hynny?

'Fe arhoswn ni yma heno, Siân Emwnt, os byddwch chi mor garedig. Fe gysgwn ni yn y gegin fawr yma, os cawn ni, ac fe awn ni y peth cyntaf yn y bore.'

'Wel . . .' dechreuodd Siân.

'Ac fe fydd eisiau help arnoch chi i gario'r Sgweier yma i'r llofft. Allwch chi a'r merched mo'i gario fe, ac mae e'n edrych yn rhy wan i gerdded ei hunan.'

'Wel, o'r gorau. A diolch am eich help,' atebodd Siân Emwnt er nad oedd arni hi mo eisiau'r milwyr yma o gwmpas y lle. Roedd rhywbeth pwysig ganddi hi i'w wneud, a hynny mor fuan ag oedd yn bosibl.

'Wel, nawrte, fe gariwn ni'r Sgweier i'r llofft. Mae'r gwely'n barod iddo fe?' meddai'r Sarjant.

'Ydy, mae'r gwely'n barod,' meddai Blodwen. Roedd hi a Catrin wedi bod yn gwrando ac yn rhyfeddu at y cwbl oedd wedi bod yn mynd ymlaen.

Mewn llai na phum munud roedd y Sgweier yn eistedd mewn cadair mewn stafell wely yn y llofft. Roedd Blodwen wedi gofalu cynnau tân yno hefyd.

'Diolch yn fawr,' meddai Siân wrth y milwyr. 'Allan â chi nawr. A chi, Catrin a Blodwen. Fe dynna i ei ddillad e a'i roi e yn y gwely. Fe allith Blodwen fynd i Ben Twyn yn y bore i nôl dillad glân i'r Sgweier. Allan â chi.'

Ac fe aethon nhw allan, ar ôl i'r Sgweier ddiolch iddyn nhw i gyd am eu help.

'Rydych chi'n rhy garedig, Siân Emwnt,' meddai'r

---

fe wyddon ni — *we know*
fe arhoswn ni — *we'll stay*
fe gysgwn ni — *we'll sleep*
os cawn ni — *if we may (shall)*
fe awn ni — *we'll go*
fe gariwn ni — *we'll carry*

rhyfeddu — *to wonder*
cynnau tân — *to light a fire*
fe dynna i ei ddillad e — *I'll take off his clothes (undress him)*

71

Sgweier fel roedd y wraig honno'n tynnu ei ddillad a'i esgidiau'n barod i'w roi e yn y gwely.

'Yn fwy na charedig ddywedsoch chi yn gynharach heno — wel, neithiwr, achos mae hi'n fore nawr bron.'

'Ydych, rydych chi'n fwy na charedig,' meddai'r Sgweier.

'Ond wnewch chi rywbeth arall drosto i hefyd?'

'Wrth gwrs.'

'Fy het, Siân Emwnt. Fe gollais i fy het pan faglodd Taran dros y gangen yna.'

'Roeddwn i wedi meddwl am eich het, syr.'

'Fe chwiliwch chi'n ofalus amdani hi, ac efallai . . . efallai y dewch chi ar draws rhywbeth arall.'

'Fe chwilia i'n ofalus iawn, Sgweier. Cysgwch nawr. Rydw i'n mynd i ddiffodd y gannwyll.'

'Alla i byth diolch i chi am bopeth rydych chi wedi ei wneud heno, Siân Emwnt.'

'O, fe dalwch chi ryw ddydd, Sgweier . . . Nos da . . .'

Caeodd Siân Emwnt y drws a mynd i lawr i'r gegin fawr. Roedd y tri milwr yn paratoi gwelyau iddyn nhw eu hunain ar y meinciau yno, ac roedden nhw'n barod wedi taflu rhagor o goed ar y tân.

'Fe fyddwn ni'n eithaf cysurus yma, Meistres Emwnt,' meddai'r Sarjant.

'Byddwch, rydw i'n gweld, ond gobeithio na fyddwch chi ddim yn anghofio talu am eich lle.'

'O, fe fydd y fyddin yn talu.'

'Rydw i wedi clywed y stori yna o'r blaen,' atebodd Siân Emwnt. 'Ond peidiwch â phoeni. Fe fuoch chi o help mawr i mi heno.'

'Help?'

'Ie, yn cario'r Sgweier i'r llofft. Fydden ni'r merched ddim wedi gallu ei gario fe. Mae'n dda cael dynion o gwmpas y lle weithiau. Ond dim ond weithiau! Nos da. Cysgwch yn dawel, a gobeithio na fydd neb yn curo wrth

yn gynharach — earlier
wnewch chi rywbeth drosto i —
    will you do something for me
fe dalwch chi — you'll pay

meinciau — benches
fydden ni'r merched ddim wedi
    gallu — we women would
    not have been able to

y drws yma eto heno. Ac fe fydd yn well i chi ddiffodd y canhwyllau cyn i chi fynd i gysgu. Fe gewch chi ddigon o olau o'r tân os bydd eisiau golau arnoch chi.'

'Pryd byddwch chi'n mynd i'r gwely, Siân Emwnt?'

'O, fe fydda i'n mynd cyn bo hir. Ond mae rhaid i fi wneud un neu ddau o bethau yn gyntaf. Fel gwelwch chi, mae'r badell yma ar y bwrdd o hyd, a'r cadachau brwnt yma. Fe aeth y merched i'w gwelyau heb dacluso'r lle. Ond fel yna mae merched, chi'n gwybod.'

'Fe allith pethau fel yna aros tan y bore.'

'Ddim yn y tŷ yma,' meddai Siân a min ar ei thafod. 'Nos da, Sarjant.'

Fe aeth Siân â'r badell a'r cadachau brwnt allan i'r gegin gefn. Roedd drws yn arwain i'r iard o'r gegin yma. Fe aeth Siân drwy'r drws ac arllwys y dŵr brwnt o'r badell. Yna'n dawel fach, fe gerddodd hi rownd talcen y tŷ lle roedd ffenestr y gegin fawr. Roedd y Sarjant ar ei draed yn diffodd y canhwyllau. Safodd Siân yno yn ei wylio fe nes iddo fe fynd yn ôl at ei fainc a gorwedd. Yn ôl â hi wedyn i'r gegin gefn a rhoi'r badell ar fwrdd bach yno. Yna, fe gymerodd hi lantern a'i goleuo hi wrth ei channwyll hi. Diffoddodd hi'r gannwyll ac allan â hi i'r nos. Roedd côt ganddi hi dros ei choban o hyd, ac roedd ei heisiau hi hefyd. Roedd hi'n noson oer.

'Faint sy at y groesffordd?' meddai Siân wrthi ei hun. 'Dydy e ddim yn bell. Fydda i ddim yn hir, ac mae rhaid i mi chwilio yno cyn i neb arall gael y cyfle.'

Brysiodd Siân Emwnt ymlaen ac er bod y nos yn oer, roedd Siân yn dechrau chwysu. Pan ddaeth hi at y groesffordd, fe droiodd hi i'r dde tua thŷ mawr Pen Twyn.

'A! Dyna'r gangen y baglodd ceffyl y Sgweier drosti. Fe ddylai'r het fod yn agos yma.'

Chwiliodd Siân drwy'r glaswellt. Roedd gwlith y nos yn drwm arno ac yn gwlychu ei thraed drwy'r hen esgidiau, a godre ei choban nos. A! Dyna'r het!

brwnt — *dirty*	fe ddylai'r het — *the hat should be*
min — *edge (sharp)*	gwlith — *dew*
talcen y tŷ — *the pine end of the house*	gwlychu — *to wet*
	godre — *bottom edge*

'Diolch byth,' meddai Siân, a doedd dim rhaid iddi hi chwilio ymhell cyn iddi hi ddod ar draws rhywbeth arall, rhywbeth llawer mwy pwysig na'r het. Brysiodd Siân yn ôl i'r Bedol.

Roedd golau yn ffenestr y gegin gefn er ei bod hi'n siŵr ei bod hi wedi diffodd ei channwyll cyn mynd allan. Pwy oedd yno? Aeth Siân i mewn a dyna lle roedd Sarjant Huws yn eistedd ar gadair wrth y tân.

'Wedi bod am dro yn y bore bach, Meistres Emwnt? Rydw i'n gweld eich bod chi wedi cael het y Sgweier . . . a beth arall sy gennych chi dan eich côt? '

'Hwn rydych chi'n feddwl? ' gofynnodd Siân, ac fe dynnodd hi bistol allan o dan ei chôt. 'Doeddwn i ddim eisiau i chi weld hwn. Mae'n siŵr eich bod chi'n meddwl fy mod i'n hen fabi yn mynd â phistol allan gyda fi fel hyn.'

'Doedd y pistol ddim yn digwydd bod yn agos at yr het yn y glaswellt? ' gofynnodd y Sarjant.

'Wel, nac oedd. Fe es i â'r pistol gyda fi. Rydych chi'n gwybod faint o ladron sy o gwmpas y lle yma yn y nos.'

'Ydych chi'n gwybod sut i danio pistol fel yna, Siân Emwnt? ' gofynnodd y Sarjant a gwên fach o gylch corneli ei geg.

'Ydw, fel hyn,' atebodd Siân ac anelu'r pistol yn syth at ben y Sarjant. Ond chwerthin wnaeth e.

'Allwch chi ddim tanio'r pistol yna, Siân Emwnt, achos mae e'n wlyb.'

'Wel . . . wrth gwrs, rydw i'n gwybod hynny. Fe syrthiodd e i'r glaswellt pan oeddwn i'n chwilio am yr het. Mae'r gwlith yn drwm iawn heno.'

'Mae ateb gennych chi i bopeth, on'd oes, Siân Emwnt, fel roedd gennych chi i bopeth ddywedodd Capten Prys. Rydw i'n dechrau gweld pethau'n gliriach nawr. Fe aethoch chi allan i chwilio am y pistol yna ac nid i chwilio am yr het. Wyddoch chi, Siân Emwnt, rydw i'n dechrau credu mai'r Sgweier ydy'r Hebog wedi'r cwbl, er bod

yn y bore bach — *in the (very) early morning*
tanio — *to fire*

anelu — *to aim*
gwlyb — *wet*

Capten Prys wedi dianc fel bydd dyn euog yn dianc. Ond allith y Sgweier ddim dianc, ac fe alla i aros tan y bore cyn ei holi fe ymhellach. Mae rhyw syniad gen i hefyd fod rhywbeth rhwng eich merch chi a'r Sgweier. Mae hi'n ferch brydferth iawn, ac fe hoffech chi ei gweld hi'n wraig i'r Sgweier. Ydw i'n iawn, Siân Emwnt?'

'Nac ydych. Rydych chi'n gwbl dwp, a dydy e ddim o'ch busnes chi os oes rhywbeth rhwng Catrin a'r Sgweier.'

'Ga i weld y pistol yna?' gofynnodd y Sarjant yn sydyn.

'Wrth gwrs,' a bu bron i Siân ei daflu fe at y Sarjant.

Fe edrychodd e'n fanwl arno fe.

'Rydw i'n gweld dwy lythyren ar garn y pistol yma,' meddai'r Sarjant. 'R.V. Pwy ydy R.V., Siân Emwnt? Nid chi, wrth gwrs.'

'Wel, os oes rhaid i chi wybod, R.V. ydy Richard Vaughan, enw Sgweier Fychan yn Saesneg. Fe roiodd y pistol i mi wedi i Hebog y Nos ddechrau dychryn pawb yn yr ardal yma. Roedd rhaid i mi gael rhywbeth i f'amddiffyn fy hun, meddai fe. Ydych chi'n fodlon nawr? Neu oes rhagor o gwestiynau gennych chi?'

'Nac oes, ddim nawr, beth bynnag. Mae eich esgidiau chi a godre eich côt a'ch coban nos yn wlyb, Siân Emwnt. Fe fydd yn well i chi newid cyn mynd i'r gwely. Ond diffoddwch y lantern yna. Mae hi'n olau gennych chi o hyd.'

Fe aeth Siân i fyny'r grisiau i'w stafell. Eisteddodd ar erchwyn y gwely a thynnu ei llaw ar draws ei thalcen. Roedd hi'n chwys diferu ac yn crynu drwyddi fel deilen . . .

---

euog — *guilty*
holi — *to question*
ymhellach — *further*
fe hoffech chi ei gweld hi — *you would like to see her*

llythyren — *letter (of alphabet)*
carn — *hilt, butt*
diferu — *to drip*

12

TWYMYN

Tynnodd Siân Emwnt ei chôt a'i choban gwlyb a throi
dillad y gwely'n ôl. Safodd am funud a meddwl, —
'Fe ddylwn i fynd i weld ydy'r Sgweier yn gysurus.
Mae'n well i mi fynd.' Ac roedd rhywbeth arall roedd rhaid
iddi ei ddweud wrtho fe.

Gwisgodd goban glân amdani a mynd i stafell y Sgweier.
Doedd arni hi ddim eisiau cannwyll na golau na dim i
wybod y ffordd yno ar draws y landin. Fe aeth hi at y
gwely a phlygu drosto.

'Ydych chi'n cysgu?' sibrydodd hi.

'Y? E? Pwy sy yna?' gofynnodd llais gwan o'r gwely.

'Fi, Siân Emwnt. Ydych chi'n well nawr . . . teimlo'n
well?'

'O, ydw, llawer yn well, diolch.'

'Da iawn. Rydych chi'n ddyn cryf, ac fe wellwch chi'n
fuan. O, ie, tra ydw i'n cofio. Rydw i wedi cael eich het.'

'Beth?'

'Rydw i wedi cael eich het, Sgweier.'

'Beth? Rydych chi wedi bod allan at y groesffordd yr
amser hyn o'r nos?' gofynnodd y Sgweier. Symudodd yn
aflonydd yn y gwely.

'Ydw, neu fe fyddai hi wedi diflannu erbyn y bore. A
gwrandewch nawr, Sgweier.' Plygodd Siân yn isel dros y
Sgweier a sibrwd yn dawel, dawel, ond yn ddigon clir i'r

---

twymyn — *fever*
fe ddylwn i — *I ought to*
sibrydodd 'hi (*from* sibrwd) —
   she whispered

fe wellwch chi — *you'll get better*
isel — *low*

Sgweier ddeall pob gair, 'Rydych chi'n cofio'r pistol roisoch chi i fi fel anrheg . . .'

'Y pistol roiais i i chi?' gofynnodd y Sgweier yn ffwndrus.

'Ie, fel anrheg, i f'amddiffyn fy hunan pan ddechreuodd Hebog y Nos ymosod ar y goets a cherbydau'r cyfoethog yn yr ardal . . .'

Roedd meddwl y Sgweier yn dechrau gweithio.

'Ydw, rydw i'n cofio.'

'Mae'r ddwy lythyren R.V. ar y carn.'

'R.V. Richard Vaughan. Mae pistol arall tebyg gen i gartref.'

'Oes. Ond mae'r pistol roisoch chi i fi gan Sarjant Huws nawr.'

'Gan Sarjant Huws?'

'Ydy. Mae'n debyg y bydd e'n gofyn cwestiynau i chi yn y bore amdano fe. Ydych chi'n deall, Sgweier?'

'Ydw, rydw i'n deall. Rydw i'n deall yn iawn.'

'Da iawn. Cysgwch nawr,' ac fe droiodd hi i fynd yn ôl i'w stafell. Ond yn y drws roedd Sarjant Huws yn sefyll. Dychrynodd Siân Emwnt am eiliad, ond dim ond am eiliad.

'O, Sarjant Huws, rydych chi fel cysgod o gwmpas y lle. Rydych chi'n ddigon i godi dychryn ar wraig druan. Fe ddylech chi fod i lawr yn y gegin yn cysgu'n sownd. Chwilio am stafelloedd y merched roeddech chi? Rydych chi'r milwyr, a'r porthmyn, yn ddynion ofnadwy.'

'Na, doeddwn i ddim yn chwilio am stafelloedd y merched, ac fe wyddoch chi hynny'n iawn,' chwerthodd y Sarjant. 'Dim ond cadw llygaid arnoch chi. Roeddwn i'n gwybod byddech chi'n mynd i stafell y Sgweier.'

'Wrth gwrs.· Roedd rhaid i mi fynd i weld oedd e'n gysurus.'

'Ac mae e'n gysurus?'

'Ydy. Mae e'n llawer gwell nawr, rydw i'n meddwl! '

anrheg — *present*
ffwndrus — *bemused, confused (in mind)*

fe ddylech chi fod — *you ought to be*
fe wyddoch chi — *you know*

'A doedd dim gennych chi i'w ddweud wrtho fe . . . am y pistol yna, er enghraifft?'

Llyncodd Siân yn galed am eiliad. Oedd e wedi bod yn gwrando wrth y drws? Wel, os oedd e, doedd e ddim wedi clywed un gair achos dim ond sibrwd wnaeth hi yng nghlust y Sgweier.

'Beth fyddai gen i i'w ddweud wrth y Sgweier am y pistol?'

'Chi sy'n gwybod, Siân Emwnt.'

'Mae e'n gwybod hanes y pistol cystal â minnau. Yn well, neu fe ddylai fe. Ganddo fe y ces i'r pistol. A gwrandewch, Sarjant, dydw i ddim yn hoffi'r ffordd rydych chi'n stelcian o gwmpas y tŷ yma. Synnwn i ddim na fyddwch chi wedi hedfan cyn y bore a hanner y dafarn gyda chi.'

Chwerthodd y Sarjant yn galonnog.

'Does dim llawer o berygl y bydda i'n gwneud hynny.'

'Ust, y ffŵl! Oes arnoch chi eisiau deffro pawb yn y tŷ yma? Does neb wedi cael llawer o gwsg yma heno. I ffwrdd â chi i lawr y grisiau yna. Rydw i eisiau mynd i'r gwely.'

'O'r gorau, Siân Emwnt. Ond fe gawn ni sgwrs fach yn y bore.'

'Os bydd amser gen i, Sarjant Huws,' oedd ateb parod Siân, ac i ffwrdd â hi i'w stafell . . .

Chysgodd Siân Emwnt ddim un winc y noson honno wedyn. Roedd hi'n troi ac yn trosi yn ei gwely drwy'r ychydig oriau oedd ar ôl o'r nos gan feddwl am y Sarjant yna. Fe fyddai rhaid iddi hi gadw llygaid arno fe. A doedd e ddim mor dwp chwaith. Roedd e'n siŵr o ofyn rhagor o gwestiynau yn y bore. Gobeithio na fyddai ganddo fe ormod o gwestiynau i'w gofyn i'r Sgweier. 'Mae rhaid i mi feddwl am rywbeth i'w gadw fe oddi wrth y Sgweier,' meddyliodd Siân. 'A! Rydw i'n gwybod. Fe fydd twymyn

beth fyddai gen i — *what would I have*	calonnog — *hearty*
	fe gawn ni — *we shall have*
cystal â minnau — *as well as I (do)*	yn troi ac yn trosi — *turning and twisting*
stelcian — *to skulk*	fe fyddai rhaid iddi hi — *she would have to*
synnwn i ddim — *I wouldn't be surprised*	

arno fe yn y bore. Ie, twymyn. Digon naturiol, ac yntau wedi cael y fath ergyd ar ei ben.'

Diflasodd Siân ar ei throi a'i throsi o'r diwedd, ac fe benderfynodd hi godi er na fyddai'r haul yn codi am awr neu ddwy eto. Fe aeth hi ar draws y landin ac i stafell y Sgweier cyn mynd i lawr y grisiau. Roedd e'n cysgu fel plentyn. Ond cysgu neu beidio, roedd rhaid ei ddeffro fe.

'Y? Beth sy'n bod?' gofynnodd y Sgweier yn ffwndrus.

'Mae twymyn arnoch chi,' meddai Siân.

'Twymyn?' meddai'r Sgweier a gorwedd yn dawel am eiliad neu ddwy.

'Oes, mae twymyn arnoch chi. Fyddwch chi ddim yn gallu ateb cwestiynau'r Sarjant wedyn. Fe fydd e'n siŵr o ddod i'ch holi chi yn y bore, ond fyddwch chi ddim yn gallu ateb na deall un gair mae e'n ei ddweud. Ydych chi'n deall?'

'Ydw, yn iawn. Ond wn i ddim pam rydych chi'n gwneud hyn i gyd.'

'Fe wn i,' atebodd Siân. 'Rydw i'n mynd i nôl piseraid o ddŵr oer a chadachau a thywelion nawr. Gobeithio na fydd sioc y dŵr oer yn ormod i chi.'

Er bod ei ben e'n brifo'n ddrwg, fe chwerthodd y Sgweier yn dawel yn nhywyllwch y stafell.

Fe aeth Siân Emwnt i lawr y grisiau yn y tywyllwch a mynd i'r gegin fawr. Hy! Roedd y tri milwr wedi gofalu cadw'n gynnes achos roedd tân mawr braf yn llosgi yn y grât mawr agored. A dyna'r Sarjant. Doedd e ddim wedi cysgu mwy na Siân ei hunan achos dyna lle roedd e'n eistedd ar gadair ac yn syllu i'r tân. Beth roedd e'n ei weld yno, tybed? Fe oleuodd Siân gannwyll wrth y tân heb ddweud gair wrtho fe.

'Rydych chi wedi codi'n gynnar, Siân Emwnt,' meddai'r Sarjant.

'Rydw i'n codi'n gynnar bob bore. Fe drawais i i mewn

---

y fath ergyd — *such a blow*
diflasu — *to have enough of, to be fed up with*
piseraid o ddŵr — *a jug of water*
syllu — *to stare*

i stafell y Sgweier ar fy ffordd i lawr, ac rydw i'n meddwl bod y dwymyn arno fe. Roedd e'n troi ac yn trosi yn ei wely, ac mae ei wyneb e fel tân. Fe gafodd e ergyd galed neithiwr.'

'Do. Fydda i ddim yn gallu cael sgwrs ag e os ydy'r dwymyn yma arno fe.'

'Fe gawn ni weld,' meddai Siân gan fynd drwy'r drws i'r gegin gefn. 'Mae eisiau dŵr oer a thywelion arna i.'

Roedd piseraid o ddŵr oer ar fwrdd yn y cornel. Fe lanwodd hi fasin a chymryd tywel neu ddau a mynd yn ôl i'r gegin fawr.

'Fe fydd rhaid anfon am y meddyg,' meddai'r Sarjant.

'Rydw i cystal ag unrhyw feddyg,' atebodd Siân. 'A does dim un yn nes yma nag Aberhonddu. Fe fydd y Sgweier yn iawn yn fy nwylo i. Ydych chi'n dod i'w weld e gyda fi?'

Roedd hi'n gobeithio ar yr un pryd na fyddai fe ddim yn dod.

'Wel . . . ym . . . ddim nawr, os oes twymyn arno fe.'

'O'r gorau. Fe fydda i'n ôl i baratoi brecwast i chi a'r ddau gysgadur yma.'

Fe aeth Siân a'i basin a'i thywelion a'i channwyll yn ôl i'r llofft.

'Sut mae'r dwymyn nawr, Sgweier?'

'Ofnadwy. Mae'r tu mewn i fy mhen yn llosgi fel tân, a fy meddwl i'n ffwndro,' chwerthodd y Sgweier yn dawel.

'Da iawn. Rydw i'n mynd i wlychu un o'r tywelion yma nawr, ac rydw i'n mynd i'w ddodi fe ar eich wyneb chi. Barod?'

Gwlychodd Siân y tywel a'i wasgu fe wedyn bron yn sych a'i ddodi fe ar wyneb y Sgweier.

'Dydy e ddim yn oer iawn, Siân Emwnt.'

'Nac ydy . . .' ac fe stopiodd hi'n sydyn. Roedd hi wedi clywed sŵn traed gofalus ar y grisiau. 'Mae rhywun yn dod. Y Sarjant! Fe ddylech chi riddfan, Sgweier.'

---

fe gawn ni weld — *we shall see*
cystal â (ag) — *as good as*
cysgadur — *sleeper*
ffwndro — *to be confused
(mentally)*

gwasgu — *to squeeze*
bron yn sych — *almost dry*
griddfan — *to groan*

'Ddylwn i?'

'Dylech, i'r Sarjant eich clywed chi.'

A griddfan wnaeth y Sgweier.

Fe ddaeth y Sarjant i mewn i'r stafell.

'Mae e'n swnio'n ddrwg iawn,' meddai fe.

'Ydy, mae e. Ac mae e'n ffwndro yn ei ben hefyd. Mae e'n dweud y pethau mwyaf twp.'

Doedd hi ddim yn hawdd deall beth roedd y Sgweier yn ceisio'i ddweud, ond roedd Siân a'r Sarjant yn gallu dal gair nawr ac yn y man; geiriau fel 'Hebog' a 'Rhaid i ni ei ddal e' a 'Diafol ydy e'. Ac o hyd roedd e'n troi'n aflonydd yn ei wely.

'Dewch i'w ddal e'n llonydd, Sarjant. Fe fydd e'n gwneud niwed iddo'i hun wrth droi a throsi fel hyn,' meddai Siân a phryder yn ei llais.

Daliodd y Sarjant ysgwyddau'r Sgweier yn dynn.

Sychodd Siân ei wyneb e gan sibrwd yn dawel, fel siarad â phlentyn bach.

'Dyna chi! Dyna chi! Mae popeth yn iawn nawr. Fi, Siân Emwnt, sy yma. Fe gawsoch chi ergyd galed, ond fe fydd popeth yn iawn . . . popeth yn iawn . . . Dyna chi . . .'

Ond doedd dim modd tawelu'r Sgweier.

'Mae'n e'n ddrwg iawn, Siân Emwnt. Fe ddylech chi gael y meddyg ato fe,' meddai'r Sarjant.

'Wel, os hoffech chi fynd i Aberhonddu yr amser hyn o'r dydd . . .'

Na, hoffai'r Sarjant ddim mynd, er na ddywedodd e mo hynny wrth Siân.

'Fe adawa i e yn eich dwylo chi, Siân Emwnt. Efallai y bydd e'n well ymhen rhyw awr neu ddwy.'

'Gobeithio . . . Gobeithio . . .' atebodd Siân gan wlychu tywel eto yn y basin a'i wasgu wedyn a sychu bochau'r Sgweier. Yna fe ddododd hi gefn ei llaw ar ei wyneb e.

'Does dim cymaint o wres yn ei ben e nawr.'

---

ysgwyddau — *shoulders*
sychu — *to dry, to wipe*
ddylwn i? — *ought I?*
doedd dim modd — *there was no way (means)*

os hoffech chi — *if you would like*
ymhen rhyw awr — *in about an hour*
gwres — *heat, temperature*

Griddfanodd y Sgweier.

Roedd y Sarjant wedi cael digon.

'Rydw i'n mynd yn ôl i'r gegin.'

Safodd Siân yn gwbl lonydd nes iddi hi glywed sŵn traed y Sarjant yn cyrraedd gwaelod y grisiau. Nid fel cysgod yr aeth e i lawr y tro hwn.

Cydiodd y Sgweier yn llaw Siân Emwnt a'i gwasgu'n dynn.

'Peidiwch, Sgweier! Mae rhaid i mi newid y cadach yma ar eich pen.'

'Rhaid,' a chwerthodd y ddau yn dawel . . . dawel rhag i neb arall eu clywed nhw . . .

13

HOLI A HOLI

Roedd Siân Emwnt yn brysur iawn wedyn, ar ôl iddi hi fynd i lawr y grisiau, yn mynd o un gegin i'r llall, yn cynnau tân yn y gegin gefn (er mai gwaith Twmi'r gwas neu Blodwen oedd hynny fel arfer) ac yn paratoi brecwast ac yn ei gario fe wedyn i'r milwyr yn y gegin fawr. Roedd hi'n bryd codi'r merched hefyd, Catrin a Blodwen, achos doedd hi'n cael dim help gan y milwyr. Roedd dau ohonyn nhw'n gorwedd o hyd ar y meinciau, a'r Sarjant ei hunan yn syllu'n sarrug i'r tân a'i wyneb e mor hir â ffidil.

'Pryd byddwch chi'n mynd?' mentrodd Siân ofyn i'r Sarjant.

'Y?" meddai fe a'i feddwl e ymhell i ffwrdd.

'Pryd byddwch chi a'r ddau gysgadur yma'n ymadael y bore yma?'

'Fyddwn ni ddim yn mynd y bore yma, fel gwyddoch chi'n iawn,' atebodd y Sarjant. 'Mae rhaid i mi gael gair gyda'r Sgweier yna. Ac mae arna i eisiau edrych o gwmpas y lle yma hefyd.'

'Edrych o gwmpas y lle yma?' meddai Siân fel eco. 'Pam, yn enw popeth? Ydych chi'n meddwl bod yr Hebog yn cuddio yma yn rhywle?'

'Rydych chi'n gwybod cystal â fi — neu'n well na fi — mai yn ei wely i fyny'r grisiau yna mae'r Hebog. Ac efallai fod rhywbeth arall wedi ei guddio yma.'

'Beth?'

---

fel arfer — *usually*   ymadael — *to depart*
sarrug — *surly*

'Arian y porthmon.'

'O, Sarjant, rydych chi'n dwp. Mae'r Hebog ac arian y porthmon ymhell i ffwrdd erbyn hyn.'

'Ddim pellach nag i fyny'r grisiau yna,' atebodd Sarjant Huws. 'Rydw i'n mynd i'w weld e nawr.'

'Pwy?'

'Y Sgweier, wrth gwrs.'

'Wel, peidiwch â'i ddeffro fe, os ydy e'n cysgu.'

Fe aeth y Sarjant i fyny'r grisiau ac i stafell y Sgweier. Ond troi a throsi'n aflonydd ac yn griddfan yn ei gwsg roedd y Sgweier.

'Damio!' meddai'r Sarjant ac yn ôl ag e i'r gegin.

'Ydy'r brecwast yn barod, ddynes?' gofynnodd e'n sarrug.

'Hy! Mae croen eich tîn chi ar eich talcen y bore yma,' meddai Siân. 'A llai o'r "ddynes" yna. Meistres Emwnt ydw i i chi a'ch bath. Ond fe gewch chi frecwast yn y munud. Fe fyddwch chi'n teimlo'n well wedyn.'

'Ac wedi i mi gael tipyn o frecwast, fe fydda i'n tynnu'r lle yma'n rhacs.'

'Be . . . Beth?' meddai Siân yn syn. 'Tynnu'r lle yn rhacs? Na, fyddwch chi ddim. Fe fydda i'n rhoi'r ysgub yna ar eich cefnau chi'r tri, os gwnewch chi.'

'Gwrandewch yma, *Meistres* Emwnt,' meddai'r Sarjant a golwg benderfynol ar ei wyneb, 'rydych chi'n gwybod cystal â fi mai'r dyn yna i fyny'r llofft ydy'r Hebog, ac rydych chi wedi cuddio'r arian gafodd e neithiwr yn rhywle o gwmpas y tŷ yma. Chafodd e ddim cyfle i'w cuddio nhw ei hunan.'

Chwerthodd Siân Emwnt dros y lle.

'O, Sarjant, Sarjant! Rydych chi'n dwpach nag roeddwn i'n meddwl. Mae dau ddyn i fyny'r grisiau — Sgweier Fychan a'r porthmon Sam Prydderch. Pa un o'r ddau ydy'r Hebog?'

'Y Sgweier, wrth gwrs.'

---

croen eich tîn chi ar eich talcen — *like a bear with a sore head* (*with the skin of your arse on your forehead*)

chi a'ch bath — *you and your sort*
rhacs — *rags, tatters*

'Wel, os ydych chi'n credu mai fe ydy'r Hebog, pam nad ewch chi ag e i'r ddalfa?'

'Does gen i ddim prawf sicr,' atebodd y Sarjant yn flin ei dymer.

'Wel, os galla i eich helpu chi, fe fydda i'n falch o wneud . . .'

Fe dorrodd y Sarjant ar ei thraws hi, yn wyllt ei dymer nawr, —

'Wrth gwrs fe allwch chi helpu . . . drwy ddweud y gwir . . . drwy ddweud beth ddigwyddodd yma neithiwr.'

Fe edrychodd Siân ar y Sarjant a'i llygaid hi'n fawr yn ei phen.

'Sarjant Huws, beth rydych chi'n ceisio'i ddweud?'

'Eich bod chi'n gwybod mai'r Sgweier ydy'r Hebog, a'ch bod chi wedi cuddio'r arian yn rhywle. Pan ddaethon ni â'r Sgweier yma neithiwr, fe dynsoch chi ei gôt e a mynd â hi i'r gegin gefn yna. Roedd arian y porthmon yn y gôt, rydw i'n siŵr. O, rydw i'n dwp na sylweddolais i hynny ar y pryd,' griddfanodd y Sarjant.

'Rydych chi'n dal yn dwp, Sarjant,' meddai Siân yn ddirmygus.

Chymerodd y Sarjant ddim sylw, ond mynd ymlaen, —

'Ac wedyn fe aethoch chi allan i chwilio am ei het. Ond nid i chwilio am ei het e aethoch chi, ond i chwilio am ei bistol. Roeddech chi'n gwybod bod hwnnw yn y glaswellt yn rhywle achos doedd e ddim yn ei gôt fawr. O, fe fues i'n ffŵl na feddyliais i am y peth.'

'Do, do,' meddai Siân.

'A'r stori yna wedyn fod y Sgweier wedi rhoi'r pistol i chi er mwyn i chi eich amddiffyn eich hunan yn erbyn yr Hebog. Hy! Roedd hynny'n nonsens i gyd.'

'Wel, gofynnwch i'r Sgweier sut cefais i'r pistol. Fe gewch chi'r un stori ganddo fe. Ond os ydych chi'n credu fy mod i wedi cuddio arian y porthmon yma yn rhywle, mae croeso i chi dynnu'r lle yma'n rhacs . . . ond gofalwch chi

pam nad ewch chi ag e — *why*   yn wyllt ei dymer — *in a wild*
   don't you take him   *temper*
prawf — *proof*

roi'r rhacs yn ôl yn eu lle, neu fe fydd yma'r ffrae fwyaf uffernol na fu ei thebyg erioed o'r blaen. Ydych chi'n clywed, Sarjant?' Fe aeth Siân yn nes ato fe a sgrechian yn ei wyneb e. 'Ydych chi'n clywed? Rydw i wedi cael llond bol arnoch chi a'r ddau gysgadur yma.'

Roedd sŵn Siân Emwnt yn sgrechian yn ddigon i ddeffro'r ddau gysgadur oedd wedi bod yn cysgu mor braf ar y ddwy fainc; roedd e'n ddigon i godi'r meirw i lawr yn y fynwent yn Rhyd-y-waun; yn ddigon i ddod â Catrin ar garlam i lawr y grisiau i'r gegin. Fe neidiodd ei chalon i'w gwddw pan welodd hi ei mam a'r Sarjant yn wynebu ei gilydd fel dau geiliog mewn talwrn, ei mam yn sgrechian nerth ei phen a'r Sarjant yn edrych arni hi a'i lygaid e'n fflachio, yn agor a chau ei ddyrnau, a'i wyneb e mor goch â'r tân.

'O, mam, beth sy'n bod?' gwaeddodd Catrin dros sŵn y sgrechian. 'Beth sy'n bod?'

Y Sarjant oedd y cyntaf i'w feistroli ei hunan. Fe droiodd e at ei ddau was o filwr oedd ar eu traed erbyn hyn.

'Dewch, y ddau ohonoch chi. Dewch i weld y ceffylau rhag ofn bod y diafol Hebog yna wedi eu dwyn *nhw* hefyd.'

Yna fe droiodd e at Siân Emwnt.

'A gofalwch chi fod bwyd yn barod ar y bwrdd pan ddown ni'n ôl.'

'Peidiwch â f'ordro i,' sgrechiodd Siân. Fe aeth hi at y lle tân a chydio yn y pocer mawr a'i daflu fe at y Sarjant. Fe aeth e allan ar garlam ar ôl y ddau filwr.

'Mam!' meddai Catrin yn syn. Welodd hi erioed mo'i mam mewn tymer fel hyn. Fe synnodd hi fwy pan welodd hi mai chwerthin roedd ei mam, a bod dagrau ei chwerthin yn rhedeg i lawr ei bochau.

'Glywaist ti erioed am Sarah Siddons, Catrin? Yn Aberhonddu y cafodd hi ei geni. Mae rhaid ein bod ni'n dwy o'r un gwaed . . . hi a fi . . .'

---

uffernol — *hellish*
ar garlam — *at a gallop*
talwrn — *place for cockfighting*
dyrnau — *fists*

meistroli — *to master*
pan ddown ni'n ôl — *when we come back*
o'r un gwaed — *of the same blood*

Pan ddaeth y Sarjant a'i ddau was bach yn ôl, roedd brecwast yn barod. Roedd Sam Prydderch wedi codi hefyd, ac roedd croen ei dîn yntau ar ei dalcen. Rhwng popeth, doedd e ddim wedi cysgu winc chwaith — ei lygaid e'n llosgi fel tân ar ôl y gawod bupur gafodd e gan yr Hebog, a sŵn y gweiddi a'r curo mawr ar ddrysau drwy'r nos, heb sôn am sŵn ceffylau'n carlamu neu'n stablan yn aflonydd o gwmpas y lle.

Fe ddechreuodd y Sarjant ei holi fe pwy oedd yr Hebog ac am helyntion y nos — i bwy roedd yr Hebog yn debyg, i'r Sgweier neu i Capten Prys?

'Y diafol o Gapten yna, wrth gwrs. *Fe* ydy'r Hebog; *fe* aeth â f'arian i, fe allwch chi fod yn siŵr.'

'Rydw i'n credu, Sam Prydderch, mai'r Sgweier ydy'r Hebog. Rydw i'n credu hefyd fod Siân Emwnt yn gwybod beth sy wedi digwydd i'ch arian chi.'

'F'arian i? Twt, na! Ŵyr hi ddim. Roedd hi yn y goets gyda fi pan ymosododd y lleidr yna arni hi neithiwr. Fe fyddai hi wedi adnabod llais y Sgweier. Mae hi wedi ei glywed e'n ddigon aml. Roedd y llais neithiwr yn debycach i lais y Capten Prys yna.'

'Yn debycach i lais y Capten? Rydych chi'n siŵr mai llais y Capten glywsoch chi'n gweiddi pan oeddech chi yn y goets?'

Eisteddodd y porthmon a chrafu ei ên a darn o fara ar hanner ei ffordd i'w geg.

'Wel, na, mae'n amhosibl bod yn siŵr. Mae llais dyn yn gweiddi a'i lais e'n siarad yn naturiol yn wahanol iawn i'w gilydd.'

'O'r gorau, Sam Prydderch. Nawrte, pan ddaeth yr Hebog i'ch stafell chi neithiwr, doedd e ddim yn gweiddi.'

'Wel, nac oedd, neu fe fyddai fe wedi deffro pawb yn y tŷ.'

'Fe gawsoch chi swper gyda'r Capten neithiwr.'

'Do, yr hen snob.'

ŵyr hi ddim — *she doesn't know*   tebycach — *more like*
fe fyddai hi wedi adnabod y llais   gwahanol — *different*
   — *she would have recognised the voice*

'Ac felly, fe glywsoch chi'r Capten a'r Sgweier yn siarad yn naturiol, fel rydyn ni'n siarad nawr. Oedd llais y dyn ddaeth i'ch stafell chi yr un fath â llais y Capten . . . neu'r un fath â llais y Sgweier?'

Crafodd y porthmon ei ben.

'Wel . . . ym . . . nawr . . . mae'n amhosibl dweud.'

'Amhosibl dweud?'

'Ie, achos doedd y lleidr ddim yn siarad yn naturiol. Roedd e'n sibrwd drwy ei ddannedd . . . neu'n hisian drwy ei ddannedd. Ie, dyna fe, hisian drwy ei ddannedd.'

Ysgydwodd y Sarjant ei ben.

'Fuoch chi wrth y botel frandi neu'r gasgen gwrw neithiwr?'

'Y ddwy!' atebodd Sam Prydderch a gwên fawr ar draws ei wyneb. 'Ond rydw i'n cofio un peth. Côt las oedd gan yr Hebog a chôt las oedd gan y Capten.'

'Côt las oedd gan y Sgweier hefyd. Beth am ei het e?'

'Sylwais i ddim ar ei het. Dim ond ar fy het fy hunan.'

'Naddo, wrth gwrs.'

Fe gofiodd y Sarjant rywbeth arall.

'Roedd yr Hebog yn dal pistol yn ei law. Fyddech chi'n gallu adnabod y pistol yna eto? Neu oeddech chi'n rhy feddw i sylwi ar hwnnw hefyd?'

'Nawr, nawr, Sarjant! Rydw i'n hoff o fy niod ond . . .'

'Rydw i'n gallu ei gario fel dyn. Rydw i'n gwybod,' meddai'r Sarjant yn ddiflas. 'O'r gorau, Sam Prydderch, does dim rhagor o gwestiynau gen i.'

Roedd Siân Emwnt wedi bod yn gwrando ar y cyfan yn dawel.

'Fe fyddwch chi'n mynd yn syth ar ôl brecwast nawr,' meddai hi.

'Na fydda. Fydda i ddim yn mynd nes fy mod i wedi tynnu'r lle yma'n rhacs.'

'Wel, cofiwch beth ddywedais i am roi'r rhacs yn ôl yn eu lle,' atebodd Siân, 'neu fe fydda i'n eich tynnu chi'n

---

dannedd — *teeth*
fyddech chi'n gallu adnabod —
    would you be able to
    recognise

y cyfan — *the whole lot, everything*

rhacs hefyd, ac fe fydd yn amhosibl rhoi'r darnau yn ôl wrth ei gilydd. Fe fyddwch chi fel Hympti Dympti . . . fe glywsoch chi amdano fe, do?'

Roedd y Sarjant cystal â'i air. Mae'n wir na thynnodd e mo'r lle yn rhacs, ond fe chwiliodd e'r Bedol o'r top i'r gwaelod, y tu mewn a'r tu allan, ymhob twll a chornel, ymhob cwpwrdd a drôr. Roedd e'n siŵr yn ei feddwl ei hun mai'r Sgweier oedd y lleidr — roedd mater y pistol yn ddigon o brawf iddo fe — a bod Siân Emwnt wedi cuddio'r arian. Roedd y ffaith bod y Capten wedi dianc wedi gwneud iddo fe amau am ychydig, ond roedd e'n siŵr bod gan y Capten reswm dros ddianc fel gwnaeth e. Beth bynnag, fe gafodd e bob help gan Siân Emwnt i chwilio'r lle. Roedd hi'n barod i agor pob drôr a chwpwrdd; fe helpodd hi fe gyda Twmi'r gwas a'r ddau filwr i chwilio drwy'r gwair a'r gwellt yn y stabal, a chwilio hyd yn oed y tu ôl i'r barilau cwrw yn y seleri dan y tŷ. Ond fe adawodd hi i'r dynion eu hunain chwilio drwy'r glaswellt a'r gwair yn y caeau ᴕ gwmpas y dafarn. Yr unig le na chwiliodd Sarjant Huws oedd ar berson Siân Emwnt ei hunan. Digon hawdd fyddai iddi hi guddio pwrs neu god o arian dan ei dillad llaes, ond er mai milwr oedd e, roedd e'n ddigon o ŵr bonheddig i wybod na allai fe ofyn iddi hi dynnu ei dillad! Ond fe fu e'n ei gwylio hi'n ofalus drwy'r amser gan obeithio y byddai hi ryw ffordd neu'i gilydd yn dangos bod yr arian arni hi. Ond wnaeth hi ddim.

Fe aeth e fwy nag unwaith i'r llofft, i stafell y Sgweier, ond griddfan yn ffwndrus yn ei dwymyn roedd y Sgweier bob tro. A dweud y gwir, roedd e'n amau'r dwymyn, yn amau bod twymyn arno fe o gwbl, nes iddo fe roi cefn ei law ar foch y Sgweier. Ech! Roedd hi'n wlyb gan chwys, ond feddyliodd y Sarjant ddim mai nifer y blancedi roedd Siân Emwnt wedi eu rhoi ar y gwely, a'r tân mawr oedd yn llosgi yn y grât oedd achos yr holl chwys!

Beth bynnag, tua'r prynhawn, roedd y Sgweier yn swnio'n

amau — *to doubt*   yr unig le — *the only place*

well, a doedd e ddim yn ffwndro cymaint. Felly, dyma'r Sarjant yn saethu cwestiwn ato fe, —

'Sawl pistol sy gennych chi, Sgweier?'

'E?' meddai'r Sgweier.

'Sawl pistol sy gennych chi? Mae llawer un gennych chi, mae'n siŵr.'

'Llawer un? O, na. Arhoswch chi nawr . . . Fy mhen, Sarjant; mae e fel tân y tu mewn . . . Pistol, ie, pistol. Roedd pâr gen i — anrheg ges i gan fy nhad. Roedd e'n meddwl y dylai pob gŵr bonheddig fod yn berchen ar bâr o bistolau, ond . . .'

'Ydy'r pâr gennych chi nawr?'

'O, na. Fe roiais i un o'r pâr i Siân Emwnt, yn anrheg iddi hi. Doedd dim byd ganddi hi i'w hamddiffyn ei hunan yn y Bedol yma . . .'

'Pryd rhoisoch chi'r pistol iddi hi?'

'Pryd . . . ym . . . gadewch i fi weld . . . Ym . . . pan ddechreuodd yr Hebog ymosod . . .'

'O'r gorau, Sgweier Fychan.'

Roedd y Sarjant yn gweld mai'r un stori oedd gan y ddau, Siân Emwnt a'r Sgweier, a doedd dim pwrpas iddo fe holi dim rhagor. Fe benderfynodd e adael y lle, ond fe fyddai fe'n gwylio'r Sgweier yma, a Siân Emwnt, fel cath yn gwylio wrth dwll llygoden. *Fe* oedd yr Hebog, ond doedd dim digon o brawf ganddo fe ar hyn o bryd, ond fe fyddai fe'n cael digon o brawf ryw ddydd, ac fe fyddai fe'r Sgweier yn gorffen ei ddyddiau ar grocbren . . . ie, ar grocbren . . .

crocbren — *gallows*

14

MEDDWL AM HAF

Fe aeth Sam Prydderch ar ei ffordd tuag adref ar y goets yn hwyrach yn y dydd a chroen ei dîn e ar ei dalcen o hyd. Roedd e wedi colli ffortiwn, ffortiwn iddo fe beth bynnag, ac roedd twll mawr yn ei het! Roedd hanner blwyddyn o leiaf o brynu a gwerthu, o gerdded a chwysu wedi mynd a dim i'w ddangos am yr holl waith a thrafferth. Roedd ei lygaid wedi gwella llawer ar ôl cael eu trin gan Siân Emwnt, ond sut roedd e'n mynd i fyw yn ystod y misoedd nesaf? Ac fe fyddai nifer o ffermwyr ei ardal yn aros am eu harian, achos nid fe ei hunan oedd perchen yr holl warheg yrrodd e a'i weision yr holl ffordd i'r ffair fawr yn Llundain. Ond doedd dim rhaid iddo fe boeni. Fe fyddai sioc yn ei aros e wedi iddo fe gyrraedd pen ei daith, achos yn ei gwdyn dillad, roedd cwdyn bach arall, ac yn hwnnw roedd y rhan fwyaf o'r sofrenni melyn roedd yr Hebog wedi eu dwyn oddi arno fe. Roedd Siân Emwnt wedi stwffio'r cwdyn arian i ganol ei ddillad brwnt y munud olaf cyn i Sam fynd i'w stafell i'w nôl cyn mynd ar y goets. Fe fyddai Siân wedi hoffi bod yn bresennol pan fyddai fe'n agor y cwdyn. Fe fyddai ei wyneb e'n werth ei weld, roedd hi'n siŵr.

Er ei fod e wedi penderfynu mynd ei hun y diwrnod hwnnw, fe arhosodd Sarjant Huws am ddau ddiwrnod wedyn. Roedd e'n gobeithio y byddai Siân Emwnt neu'r Sgweier yn gwneud rhyw fath o gamgymeriad — cam-

---

poeni — *to worry (to pain)*
pen ei daith — *his journey's end*
cwdyn — *bag, sack*

brwnt — *dirty, soiled*
rhyw fath — *some sort*
camgymeriad — *mistake*

gymeriad fyddai'n ddigon o brawf iddo fe gael mynd â'r Sgweier i'r ddalfa. Ond roedd Siân Emwnt yn rhy gyfrwys, a beth bynnag, roedd arian Sam Prydderch yn ddigon pell i ffwrdd erbyn hyn. Fe chwiliodd y Sarjant y dafarn a'r caeau o amgylch yr ail dro a thrydydd, ond chafodd e ddim byd. Fe aeth e hyd yn oed i Ben Twyn a throi'r lle hwnnw wyneb i waered ond heb gael dim. Ac yn y diwedd fe welodd e mai gwastraff ar amser oedd aros dim hwy yn Y Bedol. Ond hwyr neu hwyrach, fe fyddai fe'n siŵr o gael y gwir. Ond sut? Doedd ganddo fe ddim syniad ar y pryd, ond roedd e'n siŵr y byddai'r Hebog, neu'r Sgweier, yn ail-ddechrau ar ei waith wedi iddo fe wella, ac wedyn . . .

Roedd Siân Emwnt yn falch yn ei chalon o weld y Sarjant a'i ddau was bach yn mynd. Roedden nhw wedi troi'r lle wyneb i waered ac roedden nhw wedi cadw ei chwsmeriaid ffyddlon draw. A doedd teithwyr ddim yn barod iawn i aros yno wedi iddyn nhw glywed bod yr Hebog wedi ymosod ar y dafarn ei hunan. Doedden nhw ddim yn siŵr na fyddai fe'n dod yn ôl unwaith eto, achos doedd e ddim wedi cael ei ddal eto. Oedd, roedd Siân yn falch yn ei chalon. Yr unig un siomedig oedd Blodwen. Roedd hi o leiaf wedi mwynhau cwmni'r ddau filwr.

Fe wellodd y Sgweier yn gyflym wedi i'r Sarjant a'i filwyr ymadael. Doedd dim sôn am dwymyn nawr, ac roedd e'n gallu siarad heb ffwndro. Ond doedd e ddim wedi gwella digon i adael ei stafell yn Y Bedol eto. Roedd yr ergyd gafodd e pan faglodd ei geffyl yn un ddrwg, ond roedd y clwyf yn lân ac yn cau'n araf dan ofal Siân Emwnt . . . a Catrin. Fe ddywedodd Siân y gwir pan ddywedodd hi wrth y Sarjant ei bod hi cystal ag unrhyw feddyg. Ond doedd dim sôn am adael Y Bedol eto am rai dyddiau ac roedd hynny'n llawenydd mawr i un person, neb llai na Catrin. Hi gafodd y gwaith o weini ar y Sgweier, er nad gwaith

wyneb i waered — *upside down, face downwards*
gwastraff — *waste*
dim hwy — *any longer*

hwyr neu hwyrach — *sooner or later (late or later)*
o leiaf — *at least*
ymadael — *to depart*
neb llai na — *none other than*

oedd gweini arno fe, ond pleser. Hi oedd yn cario bwyd iddo fe ac yn gofalu am ei dân, yn ei olchi fe hyd yn oed, ac roedd hi wrth ei bodd. Roedd yn ddigon amlwg hefyd fod y Sgweier yntau yn mwynhau cwmni'r ferch, ac roedd y gloch fach yn ei stafell e'n canu'n aml — yn rhy aml o lawer yn ôl Siân Emwnt, er bod hynny'n ei phlesio hi'n fawr. Roedd eisiau glo ar y tân, neu roedd eisiau newid y dŵr yfed achos roedd hi'n gynnes yn y stafell, neu roedd eisiau agor y ffenestr ychydig, neu roedd eisiau symud cadair y Sgweier yn nes at y ffenestr.

Un tro roedd Catrin wedi symud cadair y Sgweier at y ffenestr, a dyna lle roedd e'n edrych allan ar y wlad. Roedd coch yr Hydref ar ddail y coed, ac i'r Sgweier roedd rhyw heddwch a llonyddwch hyfryd dros bob man; rhyw foddhad hefyd fel y boddhad gaiff mam wedi geni ei phlentyn. Roedd y coed a'r caeau wedi bwrw eu ffrwyth a nawr roedden nhw'n gorffwys ar ôl yr esgor mawr. Cyn hir, fe fyddai'r gaeaf yn dod gyda'i gwsg hir — fel cwsg bodlon y fam wedi poenau'r geni.

Roedd Catrin yn penlinio wrth y tân ac fe droiodd y Sgweier i edrych arni hi. Mor brydferth oedd hi a'i gwallt du, a'r rhuban pinc fel rhosyn haf ynddo, yn gorffwys yn gwmwl cynnes ar ei hysgwyddau; y cefn syth fel coeden ifanc; y breichiau a lliw'r haf arnyn nhw; y blows dynn yn dangos afalau ei bronnau. Roedd ei gwanwyn hi'n troi'n haf cynnes, ac fe ddaeth rhyw deimlad dros Rhisiart Fychan fod rhaid iddo fe fod yn rhan o'i haf hi hefyd.

'Catrin!' meddai fe a'i lais e'n dynn yn ei wddw.

Neidiodd Catrin ar ei thraed a rhedeg ato fe a'i hwyneb hi'n llawn pryder amdano fe.

'Sgweier! Beth sy? Beth sy'n bod? Ydych chi'n sâl?'

Penliniodd wrth ei ochr e a dodi ei dwylo ar freichiau ei gadair ac edrych i'w wyneb. Cydiodd y Sgweier yn dyner yn ei dwylo ac edrych i fyw ei llygaid hi. Roedd holl harddwch haf yn gorwedd yno.

---

gweini ar — *to tend, to minister to*   boddhad — *satisfaction*
yn ôl Siân — *according to Siân*   esgor — *to give birth to*
llonyddwch — *stillness*   gorffwys — *to rest, rest*

'O, Catrin, Catrin! Rydw i'n dy garu di . . . yn fwy na'r byd . . . yn fwy na bywyd . . .'

Llifodd ton o lawenydd dros y ferch, y llawenydd na ddaw i ferch ond unwaith yn ei bywyd, y llawenydd o glywed cyffes cyntaf cariad. Caeodd ei llygaid a gadael i sŵn y geiriau ganu a chanu fel clychau yn ei chlustiau. Am foment, am foment hir roedd hi ym mharadwys ac amser wedi sefyll; moment na fyddai hi byth yn ei hanghofio.

Gwasgodd y Sgweier y dwylo'n dynnach a sibrwd, —

'Catrin, fy nghariad, wyt ti'n gwrando? Wyt ti'n clywed? Rydw i'n dy garu di ac wedi dy garu di ers blynyddoedd. Agor dy lygaid ac edrych arna i. Dwêd dy fod yn fy ngharu i hefyd . . . Dwêd . . .'

Agorodd Catrin ei llygaid ac edrych arno fe a'i gwefusau hi'n crynu.

'O, Sgweier! Rhisiart!' meddai hi ac roedd ei theimladau hi'n ormod iddi hi. Plygodd ei phen ar liniau'r Sgweier a gwasgu ei ddwylo.

'Dwêd, Catrin, wyt ti'n fy ngharu i hefyd?'

Oedd, roedd hi'n ei garu fe. Roedd ei chalon hi'n llawn ohono fe, ond roedd yn amhosibl dweud hynny wrtho fe, wrth y Sgweier. Ie, wrth y Sgweier, achos dyna beth oedd e, a dyna beth fyddai fe iddi hi, ferch y dafarn, am byth. O, roedd hi wedi meddwl am hyn dro ar ôl tro. Roedd e'n ŵr bonheddig, wedi bod mewn ysgol a choleg. Ei choleg hi oedd cegin y dafarn gyda'i hiaith arw, rhegi porthmyn a gweision y ffermydd a thafod llym ei mam. Fe fyddai'n braf byw ym Mhen Twyn, ond fu hi erioed yn ei bywyd mewn tŷ crand fel Pen Twyn. Fyddai hi ddim yn gwybod beth i'w wneud na sut i ymddwyn. Roedd hi'n gwybod mwy am lanw potiau cwrw a gwydrau brandi, am sgrwbio llawr a chario coed tân nag am waith gwraig i ŵr bonheddig. Doedd y Sgweier ddim yn perthyn i'w byd hi, na hi i'w fyd yntau.

---

byw ei llygaid hi — *the pupils of her eyes (the depth of her eyes)*
llifo — *to flow*
cyffes — *confession*
paradwys — *paradise*
glin(iau) — *knee(s)*
ymddwyn — *to behave*
gwydr(au) — *glass(es)*

Tynnodd hi ei dwylo'n ôl yn araf.

'Catrin, fy nghariad, wyt ti ddim . . .'

Chlywodd Catrin mo ddiwedd y frawddeg. Cododd a rhedeg o'r stafell a dagrau ei thristwch yn llosgi ei llygaid. Galwodd y Sgweier arni hi'n ôl, ond atebodd hi ddim.

Fe droiodd y Sgweier unwaith eto i edrych drwy'r ffenestr. Nid harddwch Hydref oedd yno nawr, ond bysedd oer y Gaeaf yn pigo'r dail oddi ar y coed. Roedd y Gaeaf yn ei galon yntau . . .

15

YMADAEL

Y bore wedyn, y bore ar ôl cyffes cariad Rhisiart Fychan, fe
alwodd Siân Emwnt fel arfer yn stafell y Sgweier ar ei
ffordd i lawr i'r gegin i ddechrau ar waith y dydd. Roedd
hi wedi gwneud hyn bob bore er bod ei phryder hi am y
Sgweier wedi cilio ar ôl y boreau cyntaf. Roedd e'n gwella'n
gyflym, ac roedd 'Bore da' llawen ganddo fe i Siân bob
tro roedd hi'n rhoi ei phen drwy'r drws. Ond y bore hwn
doedd dim 'Bore da' llawen gan Sgweier Fychan i Siân
Emwnt na neb arall. Fe synnodd Siân yn fawr. Roedd y
Sgweier wedi codi'n barod a dyna lle roedd e'n eistedd
ar erchwyn y gwely yn ei grys nos a rhyw olwg flin a diflas
ar ei wyneb e.

'Sgweier bach,' meddai Siân yn syn, 'beth rydych chi'n
ei wneud allan o'r gwely? Mae'r tân wedi diffodd ac mae
hi'n oer yma. Ydych chi'n sâl neu rywbeth? Ewch yn ôl i'r
gwely. Fe gynheua i'r tân ar unwaith.'

'Does dim rhaid i chi gynnau'r tân i mi, Siân Emwnt.
Rydw i'n mynd adref y bore yma. Mae fy nillad i yma gyda
chi, rydw i'n meddwl. Fe fyddwn i'n falch o'u cael nhw,'
atebodd y Sgweier yn sarrug.

'Ond Sgweier bach, dydych chi ddim wedi gwella'n
ddigon da i fynd adref eto. Fe gawsoch chi ergyd ddrwg,
cofiwch, ac rydych chi'n rhy wan i feddwl am fynd adref.'

'Mae Taran yma o hyd?'

---

ymadael — *to depart, departure*
fel arfer — *as usual (usually)*
cilio — *to recede, to retreat*

fe gynheua i'r tân — *I'll light the
fire*

'Ydy, mae e yn y stabal. Mae Twmi'r gwas wedi bod yn gofalu amdano fe.'

'Wel, byddwch mor garedig â dweud wrth Twmi i gyfrwyo Taran, ac wedi i mi gael fy nillad, fe fydda i'n barod i fynd. Mae'n debyg eich bod chi'n gwybod, fe ddaeth Wil Dafis y porthmon yn ôl neithiwr ac mae gen i arian i dalu am fy lle yma.'

'Talu am eich lle? Does dim rhaid i chi boeni am bethau fel yna, Sgweier. Mae croeso i chi yma bob amser.'

'Rydw i'n talu am fy lle bob amser, Siân Emwnt, lle bynnag rydw i'n mynd neu'n aros. Fe fyddwn i'n falch o damaid i'w fwyta cyn mynd. Mae'n debyg na fydd Lowri'n fy nisgwyl i mor gynnar yn y bore.'

Doedd Siân ddim erioed wedi clywed y Sgweier yn siarad fel hyn. Roedd e'n swnio fel rhyw ŵr dierth. Fel arfer, fe fyddai fe wedi rhwbio'i ddwylo a dweud, 'Beth am frecwast nawr, Siân Emwnt? Mae fy mola i'n wag fel calon hen ferch,' neu rywbeth tebyg. Ond dyma fe nawr â'i 'Fe fyddwn i'n falch . . .' Efallai ei fod e wedi cofio'n sydyn ei fod e'n ŵr bonheddig a hithau'n wraig tŷ tafarn. Oedd, roedd e'n ŵr bonheddig, ond wedi'r cwbl, porthmon oedd ei daid e, a phorthmon digon an-fonheddig hefyd, yn barod i chwarae unrhyw fath o dric i wneud arian. Roedd ei hanes ef a'i deulu i gyd ar gadw gan Siân. Ond os felly roedd y Sgweier yn teimlo, roedd Siân yn gwybod yn iawn sut i'w drin e.

'O'r gorau, syr,' meddai hi. 'Mae eich dillad chi yn y cwpwrdd mawr yma — eich côt fawr hefyd. Rydw i wedi ei glanhau hi. Roedd hi'n fwd ac yn faw i gyd ar ôl i chi syrthio oddi ar gefn eich ceffyl. Fe ddo i â dŵr cynnes i chi ymolchi mewn munud. Fydd arnoch· chi eisiau help i wisgo?'

'Diolch, ond fydd arna i ddim eisiau unrhyw help. Rydw i'n ddigon abl.'

'O'r gorau, syr, fe â i i nôl dŵr cynnes i chi a pharatoi

---

cyfrwyo — *to saddle*
lle bynnag — *wherever*
hen ferch — *old maid*

ar gadw — *in keeping, in store*
fe ddo i â dŵr — *I'll bring water*

tamaid o frecwast i chi.' Roedd rhaid i Siân saethu un ergyd ato fe. 'Efallai y byddwch chi mewn gwell tymer wedi i chi gael rhywbeth yn eich bola.'

Ac allan â hi cyn i'r Sgweier gael cyfle i ateb. Ar y ffordd i lawr y grisiau fe alwodd hi ar Catrin a Blodwen i godi. Roedd rhaid brysio achos bod y Sgweier yn ymadael yn sydyn. Roedd Twmi'r gwas yn debyg o fod o gwmpas ei waith yn barod ac wedi cynnau tanau yn y ddwy gegin. Roedd eisiau dweud wrtho fe i gyfrwyo Taran yn barod i'w feistr.

Roedd Blodwen yn llawn cwestiynau pam roedd y Sgweier yn ymadael mor sydyn ac mor fore hefyd. Ond trist a thawel oedd Catrin. Ond sylwodd Siân ddim. Roedd hi, wrth baratoi brecwast, yn ceisio meddwl beth oedd wedi dod dros y Sgweier. Pam roedd e'n ymddwyn fel hyn? Doedd neb mor llawen â'r Sgweier fel arfer, ond nawr dyma fe'n edrych mor ddiflas â haf gwlyb. Beth oedd yn bod ar y dyn? Efallai fod y clwyf yn waeth ar ei ben. Na, doedd dim golwg poen ar wyneb y Sgweier, dim poen corff beth bynnag. Roedd mwy o olwg poen meddwl arno fe. Beth oedd yn ei boeni fe, felly? Y ffaith ei bod hi'n gwybod mai fe oedd yr Hebog? Fe ddylai fe fod yn ddiolchgar iddi hi, neu fe fyddai fe nawr yn nwylo Gwŷr y Brenin, a rhaff y grocbren yn dynn am ei wddw yn y man. Hi oedd wedi ei achub e drwy guddio'r arian oedd yn ei gôt fawr. Hi oedd wedi darganfod ei bistol e hefyd lle roedd ei farch wedi baglu. Hi oedd wedi dweud celwyddau fel rhaffau wrth geisio egluro wrth y Sarjant pam roedd y pistol ganddi hi.

Roedd Blodwen yn barod wedi mynd â dŵr cynnes i'r Sgweier i ymolchi a phan ddaeth Siân a'i frecwast iddo fe, roedd e'n eistedd yn y gadair wrth y ffenestr wedi ymolchi a gwisgo, a'i grafat yn daclus am ei wddw — y gŵr bonheddig yn wir.

poen corff — *bodily pain*
poen meddwl — *mental pain*
yn y man — *by and by*
achub — *to save*

darganfod — *to discover*
dweud celwyddau fel rhaffau — *tell strings of lies (tell lies like ropes)*

'Eich brecwast, syr,' meddai Siân gan osod yr hambwrdd ar fwrdd bach a rhoi cadair yn barod wrtho i'r Sgweier eistedd. Roedd Siân wedi galw ar Catrin i fynd â'i frecwast i'r Sgweier, ond doedd dim golwg arni hi yn un man.

'Diolch,' meddai'r Sgweier, a mynd yn syth at y bwrdd.

'Fe fyddai'n well i mi edrych ar y clwyf yna a newid y cadach cyn i chi fynd,' meddai Siân wedyn.

'Fe fydda i'n ddiolchgar os gwnewch chi,' atebodd y Sgweier.

'O'r gorau. Fe ddo i wedi i chi orffen brecwast. Ac efallai y bydd eisiau help arnoch chi i fynd i lawr y grisiau.'

Ac allan â hi.

Cyn pen hanner awr roedd Siân yn ôl a phadell o ddŵr cynnes a chadach glân i'w rwymo am ben y Sgweier. Roedd hi'n falch o weld bod y clwyf yn cau'n dda. Fe fyddai'r hen Lowri Pen Twyn yn ddigon abl i edrych ar ei ôl e bellach. Ond wrth rwymo'r cadach am ei ben, meddai Siân, —

'Mae'n gas gen i'ch gweld chi'n mynd fel hyn, Sgweier. Dydych chi ddim yn ddigon cryf i fentro i Ben Twyn ar eich pen eich hun. Hoffech chi i Twmi ddod gyda chi?'

'Mae Taran yn gwybod ei ffordd i Ben Twyn heb help neb,' meddai'r Sgweier yn ddiddiolch.

'Mae'n ddrwg gen i, syr,' meddai Siân, 'ond dim ond ceisio helpu roeddwn i.'

Roedd Siân wedi ffwndro'n lân, ond roedd rhaid iddi gael gwybod beth oedd wedi dod dros y Sgweier, dyn oedd mor garedig ac mor llawen fel arfer, a nawr, dyma fe a chroen ei dîn e ar ei dalcen — yn waeth nag roedd Sam Prydderch a'r Sarjant pan oedden nhw'n ymadael. Meddai hi, —

'O, Sgweier bach, dywedwch beth sy'n bod. Beth rydw i wedi'i wneud? Wnes i ryw gamgymeriad neu rywbeth y noson o'r blaen?'

---

hambwrdd — *tray*
fe ddo i — *I'll come*

cyn pen hanner awr — *in less than half an hour (before the end of half an hour)*
rhwymo — *to bind*

99

'Am beth rydych chi'n siarad, wraig?'

'Ydych chi ddim yn cofio?'

'Rydw i'n cofio bod fy mhistol gyda chi. Fe fyddwn i'n falch o'i gael e'n ôl.'

'Wel, cewch, wrth gwrs. Ond dydy'r arian ddim gen i nawr.'

'Pa arian?'

'Wel, arian Sam Prydderch. Fe roiais i nhw mewn cwdyn gyda'i ddillad e.'

'Sam Prydderch? Pwy ydy e?'

'Sam Prydderch y porthmon. Fe aeth yr Hebog â'i arian e, ond rydw i wedi eu rhoi nhw'n ôl iddo fe.'

'Wel, pam rydych chi'n poeni am y dyn, ynte? Ac os ydych chi wedi gorffen rhwymo'r cadach yna, fe fydda i'n falch cael mynd adref.'

'Rydw i'n gorffen nawr. Dyna ni.'

'Diolch,' meddai'r Sgweier a chodi o'i gadair. Cerddodd yn araf at y drws a Siân yn ei wylio fe'n ofalus. Roedd e'n wan ar ei draed o hyd, ac fe aeth Siân ato fe.

'Rhowch eich pwysau arna i, syr.'

Dododd y Sgweier un llaw ar ysgwydd Siân, ac felly aethon nhw i lawr y grisiau. Roedd Blodwen ar waelod y grisiau, ond doedd dim sôn am Catrin.

'Dwêd wrth Twmi i ddod â cheffyl y Sgweier at y drws. Mae e'n barod i fynd adref,' meddai Siân wrth Blodwen, ac wedi cael ei chefn hi, meddai hi wrth y Sgweier, 'Fe â i i nôl y pistol nawr.'

Roedd y pistol ym mhoced côt fawr y Sgweier cyn i Blodwen ddod yn ôl i ddweud bod Twmi a Taran yn barod. Roedd rhaid i Siân a Twmi helpu'r Sgweier i'r cyfrwy. Yna, heb godi llaw na dweud gair o ffarwel na dim, i ffwrdd ag e adref. Roedd Catrin yn ei wylio fe o un o ffenestri'r llofft a'r dagrau'n llanw ei llygaid.

---

pwysau — *weight*
ysgwydd — *shoulder*

wedi cael ei chefn hi — *after she had gone (after having her back)*
codi llaw — *to wave*

16

16

'FE FUOST TI'N FFŴL'

Dyddiau diflas iawn oedd y dyddiau nesaf yn hanes tafarn
Y Bedol, a Siân Emwnt yn flin ei thymer, a Blodwen, Twmi
a Catrin yn cael mîn ei thafod yn amlach hyd yn oed nag
arfer. Roedd hi'n methu'n lân â deall pam roedd y Sgweier
wedi ymadael mor sydyn, ac roedd hyn yn boen meddwl
iddi hi. Roedd hi'n falch o un peth — ei bod hi wedi rhoi
arian Sam Prydderch yn ei gwdyn dillad, neu fe fyddai hi'n
teimlo fel lleidr pen-ffordd ei hunan. Roedd yn broblem
iddi hi hefyd pam roedd y Sgweier wedi troi'n lleidr pen-
ffordd. Roedd hi'n gwybod bod porthmon wedi mynd â'i
arian i gyd flwyddyn yn ôl; roedd hi'n gwybod hefyd fod
yn gas ganddo fe y Saeson oedd yn berchen ar stadau o
gwmpas ac yn codi rhenti mawr ar weithwyr a ffermwyr
tlawd. Ond oedd hynny'n ddigon o reswm? Efallai . . .
efallai . . .

Un diwrnod, ryw wythnos neu fwy ar ôl ymadawiad y
Sgweier, roedd Siân Emwnt a Catrin yn brysur yn golchi
llestri yn y gegin fach gefn. Roedd nifer o deithwyr wedi
bod yn aros yn Y Bedol, ond roedden nhw wedi ymadael
nawr, ond roedd y gwaith o glirio ar eu hôl yn aros. Fel
roedd hi'n golchi'r llestri, fe gafodd Siân syniad sydyn.
Tybed oedd y Sgweier wedi anghofio am Sam Prydderch a'i
arian, ac am holl helynt y noson honno. Roedd hi wedi
clywed am bobl oedd wedi colli eu cof ar ôl cael ergyd galed

---

methu'n lân — *completely fail*   ymadawiad — *departure*
fod yn gas ganddo fe — *that he*   cof — *memory*
    hated

101

101

ar eu pennau. Tybed oedd hynny wedi digwydd i'r Sgweier hefyd, o leiaf ei fod e wedi anghofio rhai pethau. Efallai mai dyna oedd y rheswm pam roedd e mor gwta wrthi hi y bore yr ymadawodd e. Roedd yr ergyd yn effeithio ar ei feddwl e o hyd, efallai. Doedd e ddim wedi bod yn ôl yn Y Bedol. Efallai ei fod e wedi anghofio bod y fath le â'r Bedol. Safodd Siân ar ganol codi plât o'r badell lestri ac ysgwyd ei phen.

'Twt, na!' meddai hi'n uchel.

'Twt, na beth, mam?' gofynnodd Catrin oedd yn aros am y plât i'w sychu.

'E? Beth ddywedaist ti?'

Roedd Siân ar goll yn ei meddyliau.

'Chi ddywedodd "Twt, na," mam.'

Fe ddaeth Siân yn ôl i dir y byw.

'Meddwl roeddwn i am y Sgweier. Pam nad ydy e wedi bod yn ôl yma. Mae e wedi gwella'n ddigon da, ddywedwn i.'

'O, fe!'

Fe droiodd Siân yn sydyn at ei merch. Doedd hi ddim erioed wedi clywed Catrin yn sôn am y Sgweier fel 'fe'. Fe edrychodd hi'n graff arni hi a sylwi am y tro cyntaf mor welw oedd ei hwyneb hi. Roedd hi, Siân, wedi bod ar goll gymaint yn ei meddyliau ei hunan y dyddiau diwethaf yma fel nad oedd hi wedi sylwi fawr ddim ar neb na dim arall. Ond nawr fe welodd hi fod Catrin wedi colli'r rhosynnau o'i bochau, ac fe sylweddolodd hi fod rhywbeth mawr wedi digwydd i'w merch. Roedd hi'n sâl neu . . . neu beth? Roedd hi wedi sôn am y Sgweier fel 'fe'.

'Catrin! Beth sy'n bod arnat ti? Wyt ti ddim yn sâl, wyt ti?' gofynnodd Siân a'i llais yn llawn pryder am ei merch.

'Sâl? Fi'n sâl? Wel, nac ydw, mam. Pam rydych chi'n gofyn? Ydw i'n edrych yn sâl neu rywbeth?'

'Dy wyneb di, Catrin. Mae e mor wyn â'r galchen. Wyt

effeithio ar — *to affect*
y fath le â — *such a place as*
tir y byw — *the land of the living*
dywedwn i — *I would say*

fel nad oedd hi wedi sylwi fawr — *(so) that she hadn't taken much notice*

102

ti'n teimlo'n iawn? Erbyn meddwl, rwyt ti wedi bod yn ddigon tawel y dyddiau diwethaf yma. Wedi colli dy lais hefyd yn sydyn? Dwêd rywbeth.'

'O, peidiwch â chlebran, mam. Rydw i'n iawn. Dydw i ddim wedi bod allan ryw lawer y dyddiau diwethaf yma, dyna i gyd.'

'Dyna i gyd?' gofynnodd Siân a'i llygaid craff o hyd yn chwilio wyneb ei merch.

'Wel, dydw i ddim wedi bod yn cysgu'n dda iawn,' atebodd Catrin. 'Ond dewch ymlaen â'r llestri yna, neu fyddwn ni byth yn eu gorffen nhw.'

'Aros di, merch i. Paid ti â cheisio troi'r siarad nawr. Rwyt ti'n gweithio'n galed fel fi bob dydd. Does dim rheswm felly pam nad wyt ti'n gallu cysgu'n iawn. Rydw i wedi blino gormod erbyn nos i gadw'n effro'n hir, ac rwyt tithau yr un fath. Oes dim ar dy feddwl di, oes e?'

'O, twt, nac oes, mam,' atebodd Catrin gan droi i ffwrdd.

'*Mae* rhywbeth ar dy feddwl di. Beth sy'n dy boeni di, Catrin? Fe alli di ddweud wrth dy fam.'

'Does dim i'w ddweud.'

'O, oes, mae llawer i'w ddweud. Edrych arna i, Catrin.'

Fe droiodd Catrin yn ôl i edrych ar ei mam.

'Roeddet ti'n sôn funud yn ôl am y Sgweier fel "fe". Nid fel yna y byddi di'n sôn amdano fe fel arfer. Dwêd, oes rhywbeth rhyngot ti a'r Sgweier? Cofia, does dim gen i yn erbyn y Sgweier er iddo fe ymadael mor sydyn.'

'Nac oes, dim, mam,' meddai Catrin a'i hwyneb hi'n dechrau cochi.

'O? Os nad oes dim rhyngoch chi'ch dau, pam mae dy wyneb di'n goch nawr?' gofynnodd Siân. Roedd hi'n siŵr nawr ei bod hi ar y trywydd iawn. Roedd rhywbeth wedi digwydd rhwng ei merch a'r Sgweier, a dyna pam roedd e wedi ymadael â'r Bedol mor sydyn. Fe redodd pob math o ofnau drwy ei meddwl hi. Roedd Sgweier Fychan yn ŵr bonheddig, ond fel y gwyddai Siân Emwnt yn dda, pleser

erbyn meddwl — *come to think of it (by the time of thinking)*
ryw lawer — *much*
yn effro — *awake*

fe alli di — *you can*
trywydd — *scent, trail*
fel y gwyddai Siân — *as Siân knew*

103

gwŷr bonheddig yn aml oedd merched, yn arbennig mor-
ynion y tai mawr a'r tafarnau. Clymodd ei hofnau ddwylo
oer am ei chalon. Roedd hi'n meddwl y byd o'r Sgweier er
mai lleidr pen-ffordd oedd e. Roedd hi wedi gobeithio a
gobeithio . . . ond twt am hynny nawr. Roedd rhywbeth
ofnadwy wedi digwydd roedd hi'n siŵr, ac roedd rhaid iddi
hi gael gwybod beth oedd wedi digwydd.

'Pan oedd y Sgweier yn sâl yn ei wely i fyny'r llofft yna,
fe fuost ti yn ôl a blaen i'w stafell e, Catrin . . .'

'Dim ond pan oedd eisiau rhywbeth arno fe,' torrodd
Catrin ar ei thraws. Ond fe aeth Siân ymlaen er mai gwaith
caled oedd cael y geiriau allan, —

'Fuost ti ddim . . . fuost ti ddim . . .'

'Fues i ddim beth?'

Yna'n sydyn, fe ddeallodd Catrin beth roedd ei mam yn
ceisio'i ddweud. Fe gochodd hi at ei chlustiau.

'Mam! Sut gallwch chi feddwl y fath beth? Naddo! Fues
i ddim yn ei wely fe. Rydw i'n synnu atoch chi, mam, yn
meddwl y fath beth.'

'Paid nawr, Catrin, paid â cholli dy dymer. Mae'n ddrwg
gen i. Ydy'n wir, mae'n ddrwg gen i. Ond rydw i'n dy garu
di, Catrin, yn fwy na dim yn y byd, a dim ond meddwl
amdanat ti roeddwn i, pam rwyt ti'n edrych mor drist a
gwelw. Ond rydw i'n adnabod y dynion yma, er y dylwn i
wybod bod Sgweier Fychan yn wahanol i'r rhan fwyaf
ohonyn nhw. Mae e *yn* ŵr bonheddig . . .'

'O, caewch eich ceg, mam. Peidiwch â gwneud pethau'n
waeth nag maen nhw.'

Taflodd Catrin y tywel llestri i'r llawr a mynd i eistedd ar
gadair a rhoi ei dwylo dros ei hwyneb. Roedd hi bron â
thorri ei chalon.

Fe aeth Siân ati hi a chydio'i dwylo hi yn ei dwylo gwlyb
ei hunan.

'Gwrando, Catrin,' meddai hi'n dawel, 'rwyt ti'n fwy i
mi na'r byd i gyd. Alla i ddim dioddef dy weld di'n poeni,

a phoeni rwyt ti am rywbeth, fe wn i'n iawn. Dwêd, Catrin, beth wnaeth e. Beth wnaeth y Sgweier? '

'Wnaeth e ddim byd, mam.'

Dododd Siân ei llaw dan ên ei merch, a gwelodd hi'r dagrau'n casglu yn ei llygaid.

'Mae'n torri fy nghalon dy weld di fel hyn, Cit. Dwêd wrtho i beth sy'n bod.'

'Cit' roedd ei mam yn ei galw hi pan oedd hi'n ferch fach, pan oedd hi'n sâl neu rywbeth. Roedd yr enw'n ormod iddi nawr. Fe gladdodd hi ei hwyneb ar fynwes ei mam ac wylo'r glaw.

'O, mam!'

'Cit fach!' meddai Siân gan dynnu ei llaw dros y cwmwl o wallt du, cyrliog. 'Cria di, Cit! Cria di, fy mlodyn! Fe ddoi di'n well yn y munud.'

Arhosodd Siân nes bod Catrin wedi tawelu ychydig.

'Dyna fe. Rwyt ti'n well nawr. Gad i mi sychu dy ddagrau di.'

Roedd cysur i'r ferch ar fynwes ei mam.

Gwasgodd Siân hi'n dynnach ati hi a sibrwd, —

'Fe ddywedodd e rywbeth wrthot ti, Cit . . .'

Roedd tawelwch am funud ond am wylo'r ferch. Yna, —

'Fe ddywedodd e . . . Fe ddywedodd e . . . ei fod e'n fy ngharu i,' meddai Catrin rhwng ei dagrau.

Gwasgodd Siân y pen yn dynnach, dynnach, i'w mynwes. Llifodd llawenydd drosti hi yn donnau. On'd oedd hi wedi gobeithio a gobeithio? Roedd y Sgweier yn caru ei merch hi. Ei Cit fach hi! Roedd hi wedi dweud celwyddau fel rhaffau i'w gadw fe rhag syrthio i ddwylo Gwŷr y Brenin am un rheswm yn unig. A dyma fe. Roedd e'n caru ei merch. Roedd hi'n gwybod mor brydferth oedd ei merch; roedd hi wedi sylwi mor llawen oedd y Sgweier yn ei chwmni hi bob amser; wedi sylwi fel roedd ei lygaid e'n ei dilyn hi i bob man. Roedd hi wedi gobeithio mai llygaid cariad oedden

claddu — *to bury*
mynwes — *bosom*
fe ddoi di'n well — *you'll get better*

ond am wylo'r ferch — *except for the girl's weeping*
llawenydd — *joy*
am un rheswm yn unig — *for one reason alone*

nhw, a nawr roedd y peth yn wir. Roedd yr holl gelwyddau, popeth wnaeth hi noson yr helynt mawr, wedi bod yn werth y drafferth. Fe fyddai ei Chatrin hi yn wraig Pen Twyn!

''Nghariad annwyl i,' meddai Siân a'i chalon hi'n curo gan lawenydd, 'ofynnodd e am dy briodi di?'

Roedd hi'n gwybod yn ei chalon fod Catrin yn ei garu fe.

Cododd Catrin ei phen ac edrych ar ei mam.

'Ei briodi fe? Naddo!'

'Naddo? Pam?' Os oedd dyn yn dweud ei fod e'n caru merch, roedd rhaid iddo fe ofyn iddi hi ei briodi fe yn ôl Siân.

'Chafodd e ddim cyfle.'

'Ddim cyfle? Beth rwyt ti'n feddwl?'

'Wnes i ddim aros i wrando arno fe. Fe redais i allan o'r stafell.'

'Beth wnest ti?' Doedd Siân ddim yn gallu credu ei chlustiau.

'Rhedeg allan a'i adael e.'

'Ond pam, ferch? Rwyt ti'n ei garu fe, on'd wyt ti?'

'Mam! Ydw . . . ydw, mam,' ac roedd rhyw dristwch mwy trist na thristwch yn ei llais. 'Dyna pam rhedais i allan o'i stafell e.'

Roedd Siân wedi ffwndro'n lân. Os oedd y ddau'n caru ei gilydd . . .

'Dydw i ddim yn deall, Catrin . . .'

'O, mam, ydych chi ddim yn gweld? Doedd arna i ddim eisiau ei glywed e'n dweud ei fod e'n fy ngharu i. Roeddwn i'n ddigon bodlon ei weld e nawr ac yn y man, a chwerthin a bod yn hapus yn ei gwmni fe pan oedd e'n dod yma — dim ond iddo fe beidio â phriodi â neb arall! Fe allwn i fyw yn fy nghastell bach fy hunan, a breuddwydio fy mreuddwydion bach fy hunan amdanon ni'n dau, fe a fi yn ein paradwys ein hunain, ond nawr, ar ôl iddo fe ddweud ei fod

yn werth y drafferth — *worth the trouble*
ffwndro'n lân — *completely bewildered*

dim ond iddo fe beidio â phriodi — *as long as he didn't marry (only for him not to marry)*
fe allwn i — *I could*

e'n fy ngharu i, mae'r breuddwyd wedi ei chwalu. Ond pam rydyn ni'n siarad? Ddaw e ddim yma eto.'

'Ond ferch, fe fyddai fe wedi gofyn i ti ei briodi fe, a dyna baradwys iawn, paradwys real, nid paradwys breuddwyd.'

'Byddai, mae'n siŵr. Fe fyddai fe wedi gofyn i mi ei briodi fe. Ond allwn i ddim, mam. Allwn i ddim.'

'Allet ti ddim? Pam?'

'O, mam, ydych chi ddim yn gweld? Mae e'n ŵr bonheddig, a'i ffrindiau fe i gyd yn wŷr a gwragedd bonheddig. Mae e wedi cael addysg, wedi bod yn Rhydychen, wedi teithio i bob rhan o'r wlad. A beth ydw i? Merch Y Bedol. Fe fyddai ei ffrindiau fe'n chwerthin am fy mhen, ac yn edrych i lawr eu trwynau arno fe am briodi merch tafarn. Ydy hynny'n ddigon o eglurhad i chi, mam?'

Roedd gwefusau Siân yn un llinell dynn ar draws ei hwyneb. Chlywodd hi erioed y fath ffolineb.

'Nac ydy, dydy e ddim yn ddigon o eglurhad. Rwyt ti'n meddwl nad wyt ti'n ddigon da iddo fe. Gwrando di arna i nawr. Rwyt ti cystal, os nad gwell, na Sgweier Fychan o Ben Twyn. Wyt ti'n gwybod beth oedd ei daid e? Hen leidr o borthmon oedd yn barod i dwyllo'i fam er mwyn ennill ceiniog neu ddwy. A doedd ei dad e fawr gwell. Roedd rhaid iddo fe newid ei enw'n "Vaughan" er mwyn swnio'n fwy o ŵr bonheddig fel y Saeson sy'n byw yn y sir yma. Ond rydw i'n gwybod bod ein Sgweier ni yn gwbl wahanol i'r ddau yna. Natur ei fam sy ganddo fe, a wyddost ti pwy oedd hi?'

'O, rydw i'n ei chofio hi'n dda. Gwraig annwyl a charedig oedd hi,' meddai Catrin.

'Ie, un annwyl a charedig fel ei mab ar ei hôl hi. Ond wyddost ti pwy oedd hi cyn priodi? Merch Tafarn y Tarw Du yn Aberhonddu, a ganddi hi cafodd Rhisiart Fychan ei waed bonheddig, ac nid gan neb arall.'

---

chwalu — *to scatter, to spread*
allet ti ddim? — *couldn't you?*
y fath ffolineb — *such folly*

doedd ei dad e fawr gwell — *his father wasn't much better*
wyddost ti — *do you know*
ganddi hi — *from her*

'Wyddwn i ddim, mam.'

'Fe wyddost ti nawr. Rwyt ti cystal ag unrhyw wraig fonheddig yn y wlad. Rwyt ti'n ferch i deulu gonest, teulu sy wedi gweithio'n galed am bob un geiniog sy gen i nawr. A chofia di, rydw i'n werth llawer mwy o arian nag ydy Sgweier Fychan. Fe allwn i brynu ei stad e a phopeth sy arni hi ddwywaith drosodd, ac mae e'n gwybod hynny'n iawn. Ac fe fydd popeth sy gen i yn dod i ti ryw ddydd. O, na, dyn tlawd ydy Sgweier Fychan, neu fyddai fe byth wedi troi yn . . .'

Stopiodd Siân yn sydyn.

'Troi'n beth, mam?'

'O, paid â gofyn! Chei di ddim cyfle arno fe eto. Ddaw e ddim yma eto, fe alli di fentro. Gorffen y llestri yma dy hunan, neu fe fydda i'n siŵr o arllwys y badell yma a'r cwbl sy ynddi hi am dy ben di. O, fe fuost ti'n ffŵl!'

Ac fe aeth Siân allan gan chwythu fel draig. Fe aeth hi i'r iard a chydio mewn ysgub a dechrau ysgubo nes bod y llwch a'r baw yn codi yn gawodydd dros bob man . . .

wyddwn i ddim — *I didn't know* ysgubo — *to sweep*
chei di ddim cyfle — *you won't* cawodydd — *showers*
   get a chance

17

SÔN AM GERBYD

Fe ddywedodd Siân Emwnt y gwir. Ddaeth Sgweier Fychan ddim yn ôl i'r Bedol. Ond roedd sôn am yr Hebog yn dod i glustiau Siân nawr ac yn y man. Roedd e'n fwy beiddgar nag erioed nawr, yn mentro ymosod yng ngolau dydd, ond cerbydau pobl gyfoethog oedd ei darged gan amlaf. Roedd e'n gwisgo hances ddu ar hanner isaf ei wyneb gyda'r mwgwd yn y dydd, a fyddai neb yn ei adnabod e yr ail waith; o leiaf fyddai neb yn gallu dweud pwy oedd yr Hebog wrth ei wyneb e. Roedd y bobl gyfoethog oedd yn teithio yn eu cerbydau eu hunain yn aml yn cario cyfoeth mawr gyda nhw, ond dim ond arian oedd diddordeb yr Hebog. Fe gafodd e lawer o arian.

Roedd sôn amdano fe hefyd fel rhyw Robin Hood, yn dwyn oddi ar y cyfoethog ac yn rhannu gyda'r tlawd, ac roedd digon o bobl dlawd yn byw i lawr tua'r de yn ardaloedd y pyllau glo a'r gweithiau haearn.

Roedd yr Hebog yn ddigon call i wybod bod Gwŷr y Brenin ar ei drywydd e bob amser. Roedd Sarjant Huws wedi galw ym Mhen Twyn fwy nag unwaith, ond roedd Sgweier Fychan i ffwrdd bob amser neu'n helpu rhyw ffermwr gyda'i waith. Fe wyddai Sarjant Huws yn ddigon da, os oedd e am ddal yr Hebog, fod rhaid ei ddal e yn yr act, neu pan oedd e'n dod adref a llond ei bocedi o arian y cyfoethog, ond chafodd e ddim lwc eto.

---

mentro — *to venture, venture*
hanner isaf — *lower half*
yr ail waith — *the second time*

fe wyddai Sarjant Huws —
Sergeant Huws knew

Roedd pob sôn am yr Hebog yn bryder mawr i Siân Emwnt. Roedd ei chalon hi'n gwaedu dros y dyn, achos roedd e'n siŵr o gael ei ddal ryw ddydd. Roedd hi wedi deall erbyn hyn pam roedd e wedi troi'n lleidr pen-ffordd. Rhyw fath o ddial oedd ei holl fentro ffôl — dial achos bod porthmon wedi mynd â chyfoeth blwyddyn oddi arno fe; dial ar y gwŷr bonheddig a'r meistri tir a phobl gyfoethog eraill oedd yn codi rhenti uchel ar ffermwyr tlawd, neu'n talu arian bach i'w gweithwyr am weithio oriau hir.

Roedd syniad ganddi hi hefyd nad oedd e'n rhoi rhyw bris uchel ar ei fywyd ei hun, a hynny achos bod ei merch hi wedi troi ei chefn arno fe. Roedd hynny'n digwydd i ddynion weithiau. Doedd e ddim yn gweld bywyd yn werth ei fyw heb y ferch roedd e'n ei charu. Ei gobaith a'i breuddwyd hi drwy'r blynyddoedd oedd gweld Catrin yn wraig Pen Twyn, y tŷ mawr hardd ar ben y rhiw, ac roedd eisiau gwraig yn ddrwg yn y tŷ. Roedd Lowri a Siencyn yn llawer rhy hen i ofalu am y lle'n iawn. Ac roedd hi'n dal i obeithio y byddai'r Sgweier yn galw eto yn Y Bedol ryw ddydd. Fe fyddai croeso iddo fe, lleidr pen-ffordd neu beidio. Roedd Siân yn siŵr na fyddai Catrin yn troi ei chefn arno fe yr ail waith. Yr ail waith? Fyddai yna ail waith?

Roedd ei chalon hi hefyd yn gwaedu dros ei merch. Fe ddaeth i'w meddwl hi lawer gwaith y dylai hi fynd i Ben Twyn ei hun i siarad â'r Sgweier a cheisio'i gael e i roi pen ar ei fywyd peryglus, a dweud wrtho fe y byddai croeso iddo fe yn Y Bedol eto, croeso ganddi hi a gan Catrin. Ond allai hi ddim. Na, allai hi ddim mynd ar ei phenliniau i neb er bod bywyd y dyn mewn perygl bob munud o'r dydd.

Ond doedd dim rhaid iddi hi boeni am ei merch. Doedd hi ddim yn torri ei chalon. Roedd yr hyn ddywedodd ei mam wrthi hi am deulu'r Sgweier wedi newid y darlun i gyd iddi hi, ac os oedd e'n wir yn ei charu hi, fe fyddai

gwaedu — *to bleed*
dial — *revenge, to have revenge*
meistri tir — *landowners*
pris — *price*

gwerth ei fyw — *worth living*
rhoi pen ar — *to put an end to*
allai hi ddim — *she couldn't*

110

fe'n siŵr o ddod yn ôl. Ond wyddai hi ddim am fywyd mentrus, peryglus y Sgweier . . .

Yna, am ryw dair wythnos, doedd dim sôn am ymosodiadau'r Hebog. Gorffwys oedd e? Neu oedd e wedi 'ennill' digon o arian i fyw'n gysurus am beth amser? Fe welodd Siân e fwy nag unwaith yn mynd heibio i'r Bedol ar ei farch du, Taran, ond alwodd e ddim yn Y Bedol. Roedd hi'n gobeithio ei fod e wedi sobri, wedi dod ato'i hun, ar ôl gwylltineb yr wythnosau diwethaf, ond na . . .

Fe aeth sôn drwy'r ardal fod rhyw ŵr o Loegr wedi prynu stad tua Llanymddyfri. Fe fyddai fe a'i deulu'n teithio yno ar ddydd arbennig. Roedd yn syndod cymaint roedd pobl ardal Rhyd-y-waun yn gwybod am daith y teulu cyfoethog yma, ond roedd un gwas porthmon wedi bod yn siarad â gwas arall yn Aberhonddu, a'r gwas hwnnw wedi bod yn siarad â gwas arall yn Y Fenni. Roedd y stori gan y porthmyn hefyd oedd yn dal i ddod adref o Loegr. Fe fyddai cerbyd y teulu yma'n pasio drwy Ryd-y-waun. Roedd pawb yn gwybod y dydd, a neb yn well na Siân Emwnt, achos roedd hi wedi cael neges i baratoi gwelyau i bedwar. Roedd hi'n llawen iawn — fe allen nhw dalu arian da. Fe ddaeth y sôn i glustiau'r Hebog hefyd. Roedd e'n amau'r stori ar y dechrau, ond pan glywodd e fod y teulu'n mynd i aros yn Y Bedol, roedd e'n barod i'w chredu hi. Teulu cyfoethog? Ardderchog! Saeson o Loegr? Gwell fyth! Pryd roedden nhw'n dod? Dydd Llun nesaf, yn ôl y sôn, ac fe fydden nhw'n cyrraedd gyda'r hwyr. Fe fyddai fe'n aros amdanyn nhw ar ben Rhiw Fron. Fyddai dim eisiau rhaff ar draws y ffordd achos fe fyddai'r ceffylau wedi blino erbyn cyrraedd pen y rhiw, ac fe fyddai'r gyrrwr yn siŵr o aros am funud neu ddau er mwyn i'r ceffylau gael eu gwynt atyn. Roedd cysgod coed yno hefyd lle gallai fe guddio drwy'r prynhawn os byddai rhaid . . .

wyddai hi ddim — *she didn't know*
gwylltineb — *wildness, madness*
roedd yn syndod — *it was amazing*
Y Fenni — *Abergavenny*

gwell fyth — *better still*
gyda'r hwyr — *in the evening*
rhiw — *hill, slope*
cael eu gwynt atyn — *get their wind back*

Yn gynnar yn y prynhawn y dydd Llun nesaf roedd Sgweier Fychan wedi gwisgo'n barod i fynd ar daith. Roedd ei het dri-chornel am ei ben a'i gôt fawr las amdano. Roedd e'n ddarlun o ddyn golygus a hardd er bod ar ei wyneb ryw olwg galed — creulon bron — nad oedd yno rai wythnosau'n ôl. Fe aeth e allan i'r clôs a'i chwip yn ei law, a dau bistol ym mhocedi ei gôt fawr. Roedd yr hen was Siencyn yn brysur ac ysgub yn ei law.

'Ydy Taran yn barod gen ti, Siencyn?' gofynnodd y Sgweier.

'Ydy, mae'r ffrwyn yn ei ben e. Dim ond eisiau taro'r cyfrwy ar ei gefn e,' atebodd Siencyn.

'O'r gorau. Dydw i ddim yn siŵr pryd bydda i'n ôl. Efallai yr â i i lawr i'r de, neu efallai y bydda i'n ôl adref heno. Felly, paid â mynd i'r gwely yn rhy gynnar.'

'Rydw i'n deall, syr.'

'Beth rwyt ti'n ddeall, Siencyn?' gofynnodd y Sgweier a rhyw hanner gwên ar ei wyneb.

'O, dim, syr . . . dim llawer. Fe â i i nôl Taran nawr.'

'Diolch, Siencyn.'

Fe aeth Siencyn i nôl y march du o'r stabal. Neidiodd Sgweier Fychan ar ei gefn ac i ffwrdd ag e. Edrychodd Siencyn arno fe'n mynd allan o'r clôs.

'Dydy e ddim yn mynd â'r rhaff gyda fe y tro yma,' meddai Siencyn wrtho'i hunan.

Er ei fod e'n hen, doedd Siencyn ddim yn dwp o bell ffordd. Roedd e wedi sylwi ers llawer dydd, pan oedd ei feistr yn mynd ar rai o'i deithiau, ei fod e'n mynd â'r rhaff hir gyda fe. Ond roedd honno nawr yn hongian yn daclus ar wal y stabal. Roedd syniad da iawn ganddo fe beth roedd ei feistr yn ei wneud â'r rhaff, achos bob tro roedd y rhaff yn diflannu o'r stabal, roedd sôn bod yr Hebog wedi ymosod ar y goets neu ar gerbyd rhywun cyfoethog. Roedd e wedi clywed bod yr Hebog yn aml yn rhwymo rhaff rhwng dwy goeden ar draws y ffordd i stopio'r goets. Na, doedd Siencyn ddim yn dwp o bell ffordd. Roedd syniad da ganddo fe hefyd ble roedd ei feistr yn mynd y diwrnod

golygus — *handsome*   clôs — *yard*
creulon — *cruel*

hwn. Roedd yntau fel pawb arall wedi clywed am gerbyd y teulu ariannog fyddai'n aros dros nos yn Y Bedol. Roedd e'n gobeithio na fyddai neb yn cael niwed . . .

Roedd yr oriau'n mynd heibio'n araf a diflas iawn i'r marchog oedd yn cysgodi dan y coed ar ben Rhiw Fron, ond o'r diwedd dyna'r haul yn diflannu dros y bryniau agos. Fe fyddai hi'n dywyll cyn bo hir, ond yn ddigon golau ar ôl i'r lleuad godi. Fyddai'r cerbyd ddim yn hir nawr . . . ddim yn hir. Ond fe fu rhaid i'r marchog aros am ddwy awr eto cyn iddo fe glywed sŵn ceffylau a cherbyd yn agosáu at waelod y rhiw. Erbyn hyn roedd y lleuad lawn yn arllwys ei golau arian dros bob man. Gwisgodd y marchog ei fwgwd yn gyflym a mynd yn nes at ochr y ffordd. Ie, dyma'r cerbyd yn dod — cerbyd y teulu cyfoethog o Loegr. Tynnodd y marchog bistol o boced ei gôt a'i gael e'n barod i danio.

Dyna'r cerbyd yn dod yn araf i fyny'r rhiw. Wyddai'r lleidr pen-ffordd ddim mai dim ond dau ddyn oedd yn y cerbyd, a bod dau farchog y tu ôl iddo fe.

' Sefwch! ' gwaeddodd y lleidr yn ei lais cras pan oedd y cerbyd yn cyrraedd pen y rhiw. ' Eich arian ar unwaith neu fe fydda i'n saethu. Mae pistol yn fy llaw.'

' Ac mae pistol yn fy llaw i hefyd,' meddai un o'r dynion yn y goets gan anelu am y llais a thanio.

Dyna waedd a sŵn ceffyl yn mynd ar garlam gwyllt ar hyd y ffordd tua Rhyd-y-waun.

' Rydw i wedi ei daro fe,' meddai'r dyn yn y goets. ' Allan â ni! '

Neidiodd y ddau allan, ond roedd y ddau farchog oedd yn dilyn y cerbyd yn barod yn carlamu ar ôl y lleidr.

' Dewch ar ein hôl ni yn y cerbyd,' gwaeddodd un ohonyn nhw dros ei ysgwydd fel roedd e'n diflannu dros y rhiw.

Clywodd yr Hebog sŵn y carlamu y tu ôl iddo fe. Nid ceffylau'r cerbyd oedd y rhain. Sylweddolodd ar unwaith

---

ariannog — *moneyed, wealthy*
cysgodi — *to shelter*
agosáu — *to approach, to get nearer*

anelu — *to aim*
gwaedd — *shout*

mai tric oedd y cwbl, yr holl sôn am gerbyd y gŵr cyfoethog, tric i'w gael e i ymosod arno fe. Roedd rhywun neu rywrai wedi bod yn brysur iawn yn gofalu y byddai fe'r Hebog yn clywed am y cerbyd.

Dyna fwled neu ddwy yn sïo heibio i'w ben, ond ceffyl da oedd gan yr Hebog. Roedd e'n newydd a ffres ar ôl bod yn pori'n dawel dan gysgod y coed am oriau. Yn fuan iawn roedd e'n ennill ar y marchog neu'r marchogion oedd yn ei ddilyn e. Ond roedd problem gan y lleidr. Roedd y fwled wedi ei daro fe yn ei ysgwydd ac fe allai fe deimlo'r gwaed yn llifo i lawr ei fraich. Roedd rhaid iddo fe gael cysgod yn rhywle, ond ble? Doedd e ddim yn siŵr oedd y fwled yn ei ysgwydd neu beidio, ond roedd e'n gwybod un peth — bod y boen yn ofnadwy. Doedd dim ond un lle y gallai fe fynd — at y person oedd yn gwybod ei gyfrinach e'n barod. Ond roedd y cerbyd yn mynd i aros yno, ac roedd rhaid cael gwared ar y ddau farchog oedd yn ei ddilyn e — roedd e'n siŵr bod dau yno erbyn hyn.

Fe allai fe ei hunan guddio'n hawdd mewn cae neu rywle ar ochr y ffordd ac yna mentro'n dawel fach i gefn Y Bedol. Fe fyddai Siân Emwnt yn siŵr o wybod am le i'w guddio fe, ond Taran — dyna'r broblem. Fe fyddai'r marchogion oedd yn ei ddilyn e yn sicr o ddilyn sŵn Taran yn carlamu ar hyd y ffordd. Tybed fyddai Siencyn yn ddigon call i guddio Taran — ei droi e allan i gae neu rywbeth? Roedd e wedi dweud ei fod e'n 'deall'. Faint roedd yn ei 'ddeall', tybed? Digon, gobeithio. Roedd rhaid mentro.

Roedd yr Hebog yn ddigon pell ar y blaen i'r ddau farchog erbyn hyn, a phan oedd e'n agos at Y Bedol, fe arafodd e a neidio i lawr.

'Adref!' meddai fe gan roi slap i Taran ar ei dîn.

Neidiodd hwnnw ymlaen a mynd fel bwled i lawr y ffordd. Safodd yr Hebog yn y cysgod ar ochr y ffordd, ac mewn hanner munud neu lai, dyna ddau farchog yn carlamu tua'r Bedol. Arafodd y ddau a stopio y tu allan i'r

pori — *to graze*
fe allai fe — *he could*
cyfrinach — *secret*
cael gwared ar — *to get rid of*

call — *wise*
ar y blaen — *ahead*
arafu — *to slow down*

114

dafarn. Ond dyna sŵn ceffyl yn carlamu yn y pellter yn dod i'w clustiau.

'Dydy e ddim wedi aros yma,' meddai un marchog wrth y llall. 'I ffwrdd â ni!'

Rhedodd yr Hebog yn gyflym i iard Y Bedol ac edrych i mewn drwy ffenestr y gegin gefn. Pa groeso oedd yno iddo fe nawr? Doedd e ddim wedi bod yn agos i'r lle ers wythnosau . . .

18

YR HEN SIENCYN

Roedd Siencyn y gwas yng nghlôs Pen Twyn a lantern gannwyll yn ei law, er nad oedd fawr o eisiau honno a'r lleuad lawn yn goleuo pob man. Ond roedd ei feistr wedi dweud efallai y byddai fe'n dod adref y noson honno. Fe fyddai eisiau'r lantern i fynd â Taran i'r stabal.

Yn sydyn, dyna fe'n clywed sŵn ceffyl yn carlamu i fyny'r ffordd at y tŷ.

' Mae e mewn brys, fel cath ar dân heno,' meddai Siencyn wrtho'i hun.

Fe ddaeth y ceffyl i mewn i'r clôs a sefyll wrth y gwas.

' Ble mae dy feistr di? ' gofynnodd Siencyn yn syn. ' Mae rhywbeth wedi digwydd heno. Rwyt ti'n chwys diferu, Taran.'

Yna, fe glywodd e sŵn ceffyl — nage, dau geffyl — yn carlamu yn y pellter.

' Mae rhywun ar dy ôl di,' meddai Siencyn. ' Tyrd, was i.'

Fe arweiniodd e'r march mor gyflym ag y gallai ei hen goesau symud i mewn i'r stabal. Tynnodd y ffrwyn a'r cyfrwy a'u claddu nhw dan y gwellt yn y cornel tywyllaf yn y lle. Yna, cydiodd mewn llond dwrn o wellt a sychu a rhwbio'r chwys oddi ar y ceffyl, a rhwbio'n arbennig lle roedd y cyfrwy wedi bod ar ei gefn e.

' Gorwedd,' meddai Siencyn.

Gorweddodd Taran yn dawel yn ei stâl a thaflodd Siencyn ragor o wellt drosto fe, ac wedyn cerdded yn hamddenol

---

er nad oedd fawr o eisiau —   llond dwrn — *fistful*
  though there wasn't much need   ym hamddenol — *leisurely*
mewn brys — *in a hurry*

allan i'r clôs. Roedd dau farchog yn dod i mewn drwy'r gât i'r clôs. Neidiodd y ddau o gefnau eu ceffylau a dod ar frys at Siencyn a'i lantern.

'Ble mae dy feistr di?' gofynnodd un ohonyn nhw.

Roedd Siencyn yn adnabod y llais. Fe gododd e ei lantern i gael gweld y dyn yn well.

'O, syr, rydw i'n eich adnabod chi. Fe fuoch chi yma rai wythnosau yn ôl. Beth ydy'ch enw chi nawr? Capten Prys! Dyna fe. Rydw i'n cofio nawr.'

'Does dim ots pwy ydw i,' meddai'r Capten yn chwyrn. 'Dwêd, ydy dy feistr di yma?'

'Nac ydy. Dydy e ddim yma. Wn i ddim ble mae e. Wedi mynd ar daith y prynhawn yma . . . ar y goets, mae'n debyg. Fe fydd e'n mynd fel yna weithiau, a welwn i mohono fe am ddyddiau wedyn.'

'Aeth e ar gefn ei geffyl y prynhawn yma?'

'Naddo, naddo. Mae Taran, a Gwennol y gaseg, yn y stabal nawr. Tipyn o annwyd ar Taran. Chwysu tipyn. Rydw i wedi bod yn ei weld e nawr, ond mae e'n gwella,' meddai'r hen was. 'Oedd arnoch chi eisiau gweld y meistr? Mae'n bosibl ei fod e yn Y Bedol, er nad ydy e wedi bod yno ers dyddiau nawr. Wedi ffraeo gyda'r hen Siân Emwnt yna, rydw i'n meddwl, ac mae'n ddigon hawdd ffraeo gyda'r hen wrach yna,' ac fe chwerthodd yr hen Siencyn yn galonnog.

'Taw, yr hen ffŵl,' meddai'r Capten. 'Dyna ddigon o dy glebran di.'

Roedd y Capten yn siŵr mai yma roedd yr Hebog wedi ffoi. Roedd e a'r marchog oedd gydag e — neb llai na'r Sarjant Huws — wedi dilyn sŵn ei farch e, ac roedd e wedi troi i'r dde wrth y groesffordd.

'Mae rhaid i mi weld y ceffyl, Taran, yma. Mae e'n un mawr du, on'd ydy e?' meddai'r Capten.

'Siŵr iawn,' atebodd Siencyn. 'Ond cofiwch fod annwyd arno fe. Dewch gyda fi nawr.'

ar frys — in haste
welwn ni mohono fe — we won't see him

tipyn o annwyd — a bit of a cold
ffoi — to flee

117

Fe aeth Siencyn â'r ddau farchog i mewn i'r stabal.

'Dyna fe, Taran,' meddai fe gan bwyntio at y ceffyl oedd yn gorwedd yn dawel nawr dan y gwellt. 'A dyma'r gaseg, Gwennol. Fel gwelwch chi, mae hi cymaint â Taran bob tamaid. A dyna gyfrwy'r meistr,' meddai fe gan bwyntio at gyfrwy Gwennol. 'Wyddoch chi,' a sibrydodd Siencyn yn dawel fel dyn yn dweud cyfrinach fawr, 'dim ond un cyfrwy sy gan y meistr. Rhyngoch chi'ch dau a Gwennol a Taran yma, mae'r meistr yn rhy dlawd i fforddio dau gyfrwy; rhy dlawd i fy nhalu i a Lowri hanner yr amser. Ond mae rhaid i'r ddau ohonon ni aros yma, tâl neu beidio, achos chaen ni byth waith gan neb arall. Rhy hen, chi'n gwybod.'

Doedd Capten Prys ddim yn gwybod beth i'w wneud o'r hen ddyn yma. Ffŵl oedd e gyda'i holl glebran, neu beth? Ond roedd yr hen 'ffŵl' yn dal i glebran.

'Ond peidiwch chi â dweud gair wrth neb beth rydw i wedi'i ddweud wrthoch chi nawr. Dim eisiau colli fy lle yma. Rhy hen i gael lle newydd . . .'

Ond doedd Capten Prys ddim yn gwrando. Fe aeth e at y cyfrwy a dodi ei law dano. Roedd e'n oer, oer.

'Rydych chi'n siŵr nad oes dim cyfrwy arall gan Sgweier Fychan?' gofynnodd y Capten.

'On'd ydw i wedi dweud ei fod e'n rhy dlawd . . .'

'A does dim ceffyl arall ganddo fe? Dim ond y ddau yma, Taran a'r gaseg yma?'

Chwerthodd yr hen was.

'Welais i ddim un arall yma, ac rydw i yma ers blynydd-oedd, ers cyn i Boni ddechrau . . .'

'Mae rhaid ei fod e wedi mynd yn syth ymlaen,' meddai Sarjant Huws, a dyna'r tro cyntaf iddo fe roi ei big i mewn. Roedd arno fe ofn y Capten yma. Roedd e wedi gwneud cawl o bethau unwaith o'r blaen, ac wedi cael min tafod

fel gwelwch chi — *as you see*
fforddio — *to afford*
tâl — *pay, wages*
chaen ni byth — *we would never get*
ers blynyddoedd — *for (since) years*

ers cyn i Boni — *since before Bonaparte*
pig — *beak, nose*
gwneud cawl — *to make a mess (broth)*

y Capten wedyn. Ond doedd e ddim yn gwybod pwy oedd e y tro hwnnw. Ond roedd e'n gwybod nawr! 'Neu efallai fod rhywun wedi actio'r Hebog heno,' meddai fe wedyn.

'Mae hynny'n bosibl. Efallai ein bod ni wedi rhoi'r wybodaeth am y cerbyd i ormod o bobl,' meddai'r Capten. Fe saethodd e hen gwestiwn yn sydyn at Siencyn, 'Rydych chi'n siŵr nad oes dim cyfrwy arall gan y Sgweier?'

'Fe allwch chi edrych dros y lle os nad ydych chi'n fy nghredu i,' atebodd yr hen was ffyddlon ar unwaith. 'Mae yna un hen, hen, i fyny'r llofft yna, os hoffech chi ei weld e.'

'Ewch i weld, Sarjant Huws,' meddai'r Capten, ac fe aeth y Sarjant i weld. Ie, un hen, hen iawn oedd e.

'Mae e wedi llithro drwy ein dwylo ni eto,' meddai'r Capten, 'er fy mod i'n amau'r chwys ar y ceffyl mawr yna. Ond mae'r cyfrwy'n oer; hwnna ydy'r prawf mwyaf pendant. Dewch, Sarjant. Fe awn ni'n ôl i'r Bedol.'

'Arhoswch, syr,' meddai Sarjant Huws. 'Mae un cwestiwn gen i i'r hen ddyn yma.' Fe droiodd e at Siencyn. 'Roeddech chi allan yn y clôs pan ddaethon ni yma.'

'Oeddwn, oeddwn. Wedi bod yn gweld Taran, chi'n gwybod. Annwyd arno fe.'

'Faint fuoch chi ar y clôs?'

'Faint o amser rydych chi'n feddwl?'

'Ie.'

'O, pum munud . . . deng munud efallai. Ond roeddwn i yn y stabal y rhan fwyaf o'r amser.'

'Glywsoch chi geffyl yn carlamu heibio?'

'Wel, mae'r tŷ yma ryw chwarter milltir o'r ffordd, ac roeddwn i, fel dywedais i, yn y stabal . . .'

'Glywsoch chi geffyl yn carlamu ar hyd y ffordd?'

'Wel, nawr, erbyn meddwl, efallai fy mod i . . . ond efallai mai sŵn eich ceffylau chi glywais i,' atebodd yr hen was.

'Dewch, Sarjant. Rydyn ni wedi ei golli fe eto. Mae brandi da yn Y Bedol os nad oes dim byd arall yno . . .'

'Ydych chi'n meddwl y byddai'n werth i ni chwilio

pendant — *definite*

119

drwy'r tŷ yma yn gyntaf, Capten, rhag ofn ei fod e'n cuddio yma yn rhywle?' mentrodd Sarjant Huws ofyn.

'Digon hawdd iddo fe guddio yma neu allan yn y caeau. Fe allen ni chwilio am oes heb ddod ar ei draws e,' atebodd y Capten. 'Na, rydw i'n mynd yn ôl i'r Bedol. Dewch!'

A phwy oedd Sarjant Huws i ddadlau â'i feistr?

fe allen ni — *we could*   dadlau — *to argue*

19

DIWEDD YR HEBOG

Yn Y Bedol roedd pethau mawr yn digwydd. Fe dynnodd yr Hebog y mwgwd fel roedd e'n rhedeg at ffenestr y gegin gefn. Edrychodd i mewn. Dim ond Siân Emwnt oedd yno. Dyna lwc! Curodd yn ysgafn ar y ffenestr. Daeth dychryn i wyneb Siân pan welodd hi'r wyneb yn syllu arni hi. Ond dychryn neu beidio, fe redodd hi at y drws. Roedd hi wedi adnabod yr wyneb.

'Dewch i mewn, Sgweier. Beth sy wedi digwydd, dywedwch?'

'Gŵyr y Brenin! Maen nhw ar fy nhrywydd i. Y cerbyd yna, cerbyd y teulu cyfoethog. Tric oedd y cwbl i fy nghael i i ymosod arno fe. Roedd un neu ddau o Wŷr y Brenin yn y cerbyd a dau arall yn dilyn ar geffylau y tu ôl . . .'

'Ac mae un ohonyn nhw wedi'ch saethu chi hefyd. Mae llawes eich côt yn waed i gyd. Ble mae Gwŷr y Brenin nawr? A ble mae Taran?'

'Fe ddanfonais i Taran tuag adref gyda slap ar ei dîn. Mae e'n gwybod y ffordd yn iawn, ac fe fydd Siencyn yn gwybod beth i'w wneud . . . gobeithio . . .'

'Gobeithio, wir, neu fe fydd hi ar ben arnoch chi, Sgweier bach. Ond beth am Wŷr y Brenin? Ble maen nhw?'

'Fe arhosodd y ddau oedd ar gefn ceffylau y tu allan i'r Bedol am funud bach ac wedyn i ffwrdd â nhw ar ôl Taran. Oes lle i mi guddio yma, Siân Emwnt? Rydw i'n gwybod fy mod i wedi cadw draw, ond efallai eich bod chi'n gwybod pam . . .'

llawes — *sleeve*   fe fydd hi ar ben — *it will be all up*

Torrodd Siân ar ei draws e.

'Peidiwch â sôn am hynny nawr. Oes, mae yma le i chi guddio. Ond beth am y dynion yn y cerbyd? Maen nhw'n aros yma heno.'

'Mae munud neu ddau gennyn ni cyn y byddan nhw yma. Allwch chi edrych ar y clwyf yma?'

'Tynnwch eich côt i mi gael ei weld e. Arhoswch! Fe helpa i chi nawr, ond mae rhaid i mi alw Catrin yn gyntaf. Fe fydd eisiau help arna i.'

Fe aeth Siân at y drws i'r gegin fawr a galw ar Catrin. Fe ddaeth hi ar frys. Gwelwodd ei hwyneb pan welodd hi pwy oedd yno a'r gwaed yn cochi llawes ei gôt.

'Paid â dychryn, Catrin,' meddai ei mam. 'Mae rhaid i ni frysio. Rho'r bollt ar y drws yna'n gyntaf, ac wedyn, padellaid o ddŵr cynnes a chadachau tra ydw i'n helpu'r Sgweier i dynnu'r gôt yma. Ac os clywi di sŵn cerbyd y tu allan, dwêd ar unwaith!'

Mewn llai na munud roedd Siân wedi tynnu'r gôt fawr a thorri llawes côt isaf y Sgweier, a llawes ei grys e hefyd. Fe edrychodd hi ar lawes y gôt. Roedd dau dwll ynddi hi, un lle roedd y fwled wedi mynd i mewn, a'r llall lle roedd hi wedi dod allan.

'Rydych chi'n lwcus, Sgweier,' meddai Siân gan edrych ar y clwyf. 'Fe aeth y fwled drwy eich llawes chi, a'r cyfan mae hi wedi'i wneud ydy torri ychydig ar y cnawd. Ond rydych chi'n gwaedu fel mochyn. Cadach, Catrin, i mi gael stopio'r gwaedu yma.'

Fe roiodd Catrin gadach i'w mam. Roedd ei phen hi druan yn troi fel top wrth weld y gwaed. Roedd hi'n barod i lewygu.

'Dal di'r cadach yma ar y clwyf, Catrin,' meddai Siân. Roedd hi wedi gweld bod y ferch yn agos at lewygu. Fe fyddai'r symud sydyn a chael rhywbeth i'w wneud yn siŵr o ddod â hi ati ei hun. 'Dal di'r cadach yn dynn. Does dim ots os byddi di'n ei frifo fe.'

Daliodd Catrin y cadach yn dynn yn erbyn y clwyf. Ei

bollt — *bolt*   cnawd — *flesh*
os clywi di — *if you hear*   llewygu — *to faint*

Sgweier annwyl hi! Beth oedd wedi digwydd iddo fe? Oedd rhywun wedi ymosod arno fe? Ond doedd dim amser i holi nawr achos dyna sŵn y cerbyd yn aros y tu allan a'r gyrrwr yn gweiddi ar ei geffylau. Welodd Catrin erioed mo'i mam yn symud mor gyflym ag y gwnaeth hi'r munud hwnnw. Fe aeth hi at y cwpwrdd mawr ac agor y drws. Fe wnaeth hi rywbeth y tu mewn i'r cwpwrdd a dyna'r cefn yn agor.

'Dewch, Sgweier, i mewn â chi. Twll offeiriad sy yma. Fe fyddwch chi'n ddiogel i mewn fan yna. Daliwch y cadach yn dynn yn erbyn y clwyf. Catrin! Ei gôt a'i het e, a'r ddwy lawes yna . . . y gôt isaf a'r crys . . . a'r chwip. Tafla nhw i gyd i mewn i'r twll ar ôl y Sgweier. A pheidiwch chi â gwneud dim sŵn, Sgweier, neu fe fydd hi ar ben arnoch chi, ac arnon ni hefyd. Fe alla i drin y clwyf eto, ond daliwch y cadach yn dynn.'

Fe wthiodd hi'r Sgweier i mewn i'r twll; taflodd Catrin ei gôt a'i bethau — popeth — ar ei ôl e. Gwasgodd Siân rywbeth yn y cwpwrdd ac fe gaeodd y cefn heb ddim sŵn o gwbl. Caeodd Siân ddrws y cwpwrdd a phwyso'i chefn arno.

'Hew!' meddai hi. Ond dyna sŵn traed yn brysio ar draws yr iard at ddrws y cefn. Roedd y badellaid o ddŵr gwaedlyd a'r cadachau brwnt ar y bwrdd, a doedd dim amser i'w cuddio nhw na chael gwared arnyn nhw. Roedd cyllell fawr ar fwrdd yn ymyl. Cydiodd Siân yn y gyllell a gwasgu ei llaw chwith yn galed ar y llafn. Llifodd y gwaed coch i lawr ei bysedd.

'O, mam!' griddfanodd Catrin a syrthio'n swp i'r llawr. Roedd hi wedi llewygu . . .

Pan ddaeth Catrin ati ei hun, roedd ei mam yn penlinio wrth ei hochr ac yn troi ei phen i siarad â dau ddyn dierth yr un pryd. Roedd cadach am law chwith ei mam, ac roedd hi'n ceisio egluro rhywbeth wrth y dynion.

Caeodd Catrin ei llygaid.

twll offeiriad — *priest's hole*   chwith — *left*
pwyso — *to lean (to weigh)*   llafn — *blade*
gwaedlyd — *bloody*   swp — *heap*
yn ymyl — *nearby*

'Fe dorrais i fy llaw ar y gyllell yna. Mae min ofnadwy arni hi. A druan o'r ferch yma, fe lewygodd hi. Allith hi ddim dioddef gweld gwaed. Fe fydd hi'n iawn mewn munud.'

Stopiodd Siân ac yna'n sydyn meddai hi, —

'Arhoswch chi funud. Rydw i'n eich adnabod chi, on'd ydw i? Fe fuoch chi yma o'r blaen gyda'r Sarjant bach yna. Beth rydych chi'n ei wneud yma nawr?'

'Rydyn ni ar drywydd yr Hebog,' atebodd un o'r dynion, Lewsyn.

'Beth? Ydy e wedi bod yn ymosod heno eto? Mae'n hen bryd i chi ei ddal e, y dyn beiddgar! Mae e'n berygl bywyd i ni yn yr ardal yma, ac yn y sir i gyd.'

'O, fe ddaliwn ni fe heno. Mae Capten Prys a Sarjant Huws wedi mynd ar ei ôl e.'

'Capten Prys? Y dyn oedd yma yr un pryd â chi y tro diwethaf? On'd fe ydy'r Hebog?'

'O, nage. Sgweier Fychan ydy'r Hebog.'

Crynodd Catrin drwyddi i gyd. Fe, ei Sgweier hi, oedd yr Hebog, y Robin Hood yna oedd yn ymosod ar y cyfoethog, ac yn rhannu'r arian gyda'r tlawd. Roedd popeth yn glir iddi hi nawr — pam roedd ei mam wedi ei guddio fe yn y cwpwrdd, yn y twll offeiriad. Ac roedd ei mam yn gwybod ei gyfrinach e drwy'r amser. Fe ddywedodd hi rywbeth ryw dro ei fod e wedi troi'n rhywbeth, a stopio'n sydyn. Wedi troi'n lleidr pen-ffordd roedd e. Fe glywodd hi ei mam yn mynd ymlaen, —

'Rydych chi'n siarad drwy eich het, sowldiwr. Atebwch y cwestiwn yma, te. Os ydych chi'n dweud mai'r Sgweier ydy'r Hebog, pam roedd y Capten Prys yna'n dianc y tro diwethaf?'

'Roedd e'n gwybod nad oedd e'n gallu profi dim yn erbyn y Sgweier y noson honno, achos doedd e ddim yn gwybod ble roedd arian y porthmon. A dweud y gwir, Meistres, roedd e'n eich amau chi'n fawr . . .'

allith hi ddim — *she can't*
hen bryd — *high time*

fe ddaliwn ni fe — *we'll catch him*
yr un pryd — *the same time*

F amau i? Beth oedd gen i i wneud â'r peth?' meddai Siân a'i llygaid yn fflachio. 'Rhaid i chi fod yn ofalus beth rydych chi'n ei ddweud, sowldiwr bach, neu . . .'

'Popeth yn iawn, meistres. Popeth yn iawn. Doeddwn *i* ddim yn eich amau chi. Beth bynnag, pan welodd y Capten fod dim prawf pendant ganddo fe, fe ddihangodd e achos doedd e ddim eisiau i'r Sgweier wybod pwy oedd e — mai un o Wŷr y Brenin oedd e, a'i fod e ar drywydd yr Hebog — pwy bynnag oedd yr Hebog, wrth gwrs.'

'O, fel yna roedd hi,' meddai Siân.

'Ie, fel yna roedd hi,' meddai'r milwr. 'A'r Capten, wrth gwrs, feddyliodd am y tric o geisio dal yr Hebog. Roedden ni'n gwybod yn iawn y byddai fe'n ymosod ar y cerbyd mor agos at Ryd-y-waun, ac yn enwedig ar ôl clywed mai Saeson cyfoethog fyddai yn y cerbyd. Ond ni'n dau, Ianto a fi, oedd y Saeson cyfoethog, ac mae ganddo fe, y Sgweier, fwled rywle yn ei gorff.'

Chwerthodd Lewsyn dros y lle. Fe fyddai Siân wedi hoffi rhoi bwled yn ei gorff e hefyd.

Roedd Catrin wedi clywed digon. Agorodd ei llygaid.

'A! Mae hi'n dod ati ei hun o'r diwedd. Chi, Wŷr mawr y Brenin, ewch drwodd i'r gegin fawr nawr tra ydw i'n gofalu am y ferch yma. Mae bollt ar y drws. Roedd rhaid i mi daro'r bollt i'w le rhag ofn i rai o'r dynion hanner **meddw** sy yn y gegin fawr ddod drwodd a'i chael hi ar ei hyd ar y llawr. Maen nhw'n dod drwodd weithiau.'

'O'r gorau, meistres. A phan fyddwch chi'n barod, fe fydden ni'n dau yn falch o damaid i'w fwyta,' meddai Lewsyn.

'Siŵr iawn.'

Fe aeth y ddau filwr drwodd i'r gegin, ac fe droiodd Siân unwaith eto at ei merch.

'Dyna'r peth callaf wnest ti erioed yn dy fywyd, Catrin.'

'Beth, mam?' gofynnodd Catrin yn wan.

---

fe ddihangodd e — *he escaped,*
    he fled
yn enwedig — *especially*
corff — *body*

drwodd — *through (adverb)*
ar ei hyd — *full length (in her*
    length)
callaf — *wisest, most sensible*

'Llewygu. Rwyt ti'n well nawr. Tyrd i eistedd ar y gadair yma.'

'Mam,' meddai Catrin gan godi gyda help ei mam i'r gadair, 'ydy hyn i gyd yn wir?'

'Beth, merch i?'

'Mai'r Sgweier ydy'r Hebog?'

'Ydy, ydy. Ond paid ti â phoeni dim. Ddalian nhw mohono fe. Dyn da ydy'r Sgweier er mai lleidr pen-ffordd ydy e. Ond dydw i ddim yn meddwl y bydd e'n ymosod ar unrhyw goets na cherbyd byth eto. Fe ofala i am hynny.'

'Sut gallwch chi "ofalu am hynny," mam?'

'Achos fe fydd e'n dy briodi di. Fe ofala i y bydd e'n dy briodi di, neu fe fydd e'n crogi o ben y grocbren!'

'Mam!' meddai Catrin a'i llygaid yn neidio o'i phen bron. 'Rydych chi'n greulon ofnadwy.'

'Creulon? Nac ydw i. Rydw i wedi achub ei fywyd e ddwywaith yn barod. Ydy hynny'n greulon? A dwêd, Cit, rwyt ti'n ei garu fe o hyd, on'd wyt ti, er ei fod e . . . wel, beth ydy e. Cofia, wnaeth e ddim niwed i neb, dim ond mynd ag arian rhai o'r bobl gyfoethog . . . y Saeson a phobl debyg.'

Edrychodd Catrin ar ei mam. Roedd sêr yn ei llygaid hi. A dweud y gwir, roedd rhywbeth rhamantus mewn bod mewn cariad â lleidr pen-ffordd ac yntau ar yr un pryd yn sgweier golygus. Oedd, roedd hi'n ei garu fe, ond roedd arni hi ofn hefyd.

'Maen nhw'n siŵr o'i ddal e rywbryd,' meddai hi.

'Na wnân, ddim tra mae e yn fy ngofal i. Mae'r twll offeiriad yna wedi achub bywyd llawer hen babydd yn yr hen ddyddiau, rydw i'n siŵr.'

'Ond sut roeddech chi'n gwybod am y twll offeiriad, mam?'

'Cael hen bapur wnes i mewn bocs yn y llofft pan ddes i yma i fyw gyntaf, pan briodais i â dy dad. Roedd y papur wedi bod yno ers oesoedd, mae'n siŵr. Roedd plan y twll ar

fe ofala i am hynny — *I'll take care of that*
priodi — *to marry*
crogi — *to hang*
rhamantus — *romantic*
yn fy ngofal i — *in my care*
ers oesoedd — *for (since) ages*

y papur. Wn i ddim pwy oedd wedi bod mor ffôl â gadael y papur yn y bocs. Beth bynnag, ar ôl i mi weld bod y peth yn gweithio, fe losgais i'r papur. Dim ond fi sy'n gwybod sut i'w agor e, ond fe ddyweda i wrthot ti rhag ofn i rywbeth ddigwydd i mi. Fe fyddai'n biti gadael i'r Sgweier farw y tu mewn i'r twll yna ar ôl i mi ei achub e gymaint o weithiau, achos allith e ddim dod allan ei hunan. Dim ond o'r tu allan mae'r twll yn agor. Nawrte, merch i, diferyn o frandi i ddod â'r lliw yn ôl i'r bochau gwelw yna. Ac mae rhaid i mi rwymo'r cadach yma'n iawn am fy llaw . . .'

'O, mam, rydych chi mor . . . mor . . .'

'Mor beth, 'merch i?'

'Rydych chi'n werth y byd.'

'Ac rwyt ti'n werth mwy na'r byd i mi, 'nghariad i. Er dy fwyn di rydw i wedi twyllo a dweud celwyddau . . . Ond twt! Fe fydd dy weld di'n dod allan o'r eglwys ar fraich Sgweier Fychan yn werth pob dim. Ond dyna ddigon ar ein clebran ni nawr. Mae eisiau bwyd ar y ddau filwr yna, ac fe fydd Capten Prys a'r Sarjant bach yma cyn bo hir, galli fentro. Tybed sut lwc gawson nhw ym Mhen Twyn.'

'Ydyn nhw wedi mynd i Ben Twyn?'

'Ble arall bydden nhw'n mynd? Ie, dyna lle maen nhw wedi mynd, yn siŵr i ti, ond mae'r hen Siencyn yn dderyn digon cyfrwys, fe wn i'n dda. Ond does dim ots beth ddigwyddith yno, mae'r Sgweier yn ddiogel gyda ni yma. Fe â i i mewn i'r twll y cyfle cyntaf ga i i drin ei glwyf e'n iawn. Doedd e ddim yn un ddrwg iawn — wedi rhwygo ychydig ar y croen a'r cnawd, dyna i gyd. Dim ond iddo fe ddal y cadach yn dynn arno fe, fe fydd popeth yn iawn.'

'Ond pan ddaw e allan, mam . . . fydd e ddim yn treulio'i oes yn y twll yna . . . fe fydd Capten Prys yn siŵr o'i ddal e.'

---

fe ddyweda i wrthot ti — *I'll tell you*
diferyn — *drop*
yn werth pob dim — *worth everything*

beth ddigwyddith yno — *what will happen there*
ga i — *I'll get, I'll have*
rhwygo — *to tear*
treulio'i oes — *to spend his life*

'Ei ddal e? Twt! Does dim prawf gan neb. Does neb wedi gweld wyneb yr Hebog, ac mae digon o geffylau mawr du o gwmpas y wlad. Na, allith neb brofi dim. Paid â phoeni dim.'

'Ond y clwyf ar ei ysgwydd.'

'Fe fydd hi'n ddigon hawdd iddo fe feddwl am gelwydd i egluro hwnnw. Ac os na allith e feddwl am gelwydd ei hunan, fe ddysga i un iddo fe,' ac fe chwerthodd Siân yn galonnog.

Taflodd Catrin ei breichiau am ei mam a rhoi clamp o gusan iddi . . .

Pan gyrhaeddodd Capten Prys Y Bedol gyda'r Sarjant Huws roedd e'n flin ei dymer, ac roedd hi'n ddigon amlwg i Siân nad oedd e wedi cael dim lwc i fyny ym Mhen Twyn. Roedd yr hen Siencyn wedi bod yn ddigon o feistr ar y Capten, roedd hi'n siŵr, chwarae teg i'w hen galon e. Doedd dim i'w ofni bellach.

Wrth gwrs, ar ôl i'r Capten gyrraedd fe fu e'n holi pawb, a neb yn fwy na Siân Emwnt. Ond na, doedd Siân ddim wedi gweld neb. Na, doedd hi ddim wedi gweld y Sgweier. Roedd e i lawr yn y de, roedd hi'n siŵr, neu wedi mynd i weld hen ffrindiau mewn rhan arall o'r wlad. Weithiau roedd e'n cerdded — roedd yn beth ffasiynol i wŷr bonheddig fynd ar deithiau cerdded ac roedd rhyw syniad ganddi hi fod y Sgweier yn sgrifennu llyfr am ei deithiau. Roedd llawer yn gwneud hynny hefyd. Y peth tebycaf, meddai Siân, oedd ei fod e wedi mynd i lawr i'r de, tua Merthyr Tudful. Roedd e'n cymryd llawer o ddiddordeb ym mhobl dlawd yr ardal. Synnai Siân ddim ei weld e'n ceisio mynd i'r Senedd ryw ddydd. Roedd eisiau rhywun yno i ymladd dros y bobl dlawd . . . ac ymlaen . . . ac ymlaen. Fe ddiflasodd y Capten ar wrando arni hi.

Fe fu'r Capten a'r Sarjant a'r ddau filwr yn holi pawb o fewn milltiroedd, ac yn chwilio pob cae a choedwig ac

allith neb brofi dim — *no one can prove anything*
taith gerdded — *walking tour*
tebycaf — *most likely*

synnai Siân ddim — *Siân wouldn't be surprised*
Senedd — *Parliament*

128

adeilad o fewn milltiroedd hefyd, ond doedd dim sôn am yr Hebog nac am Sgweier Fychan chwaith. Roedd gwas fferm yma ac acw wedi gweld rhywun yn cerdded heibio, ond doedd neb ohonyn nhw wedi cymryd fawr sylw ohono fe — roedden nhw'n gweld pobl yn cerdded yn aml.

Fe aeth Capten Prys fwy nag unwaith i Ben Twyn. Roedd Siencyn yn falch o ddweud wrtho fe fod Taran yn gwella o'i ' annwyd '. Ond am y Sgweier, wel, na, doedd e na Lowri yn gwybod dim amdano fe. Ond doedden nhw ddim yn poeni amdano fe. Roedd e'n diflannu am ddyddiau ar y tro, am wythnos neu bythefnos weithiau, ond roedd e'n siŵr o ddod yn ôl rywbryd os hoffai'r Capten aros. Na, hoffai'r Capten ddim aros . . .

Fe fu'r Capten a'r milwyr am dair noson yn Y Bedol tra oedden nhw'n chwilio ac yn holi drwy'r ardal. Erbyn hynny roedd y Capten yn dechrau credu mai rhywun arall oedd yr Hebog wedi'r cwbl . . . rhywun arall? Wel, doedd e'r Capten ddim am aros ddim hwy yn Y Bedol; roedd e wedi cael digon, ac roedd y wraig Emwnt yma mor gyfrwys â llwynog. Fe hoffai fe wybod llawer o bethau, ond fyddai fe ddim tamaid callach o'i holi hi. Penderfynodd ymadael gyda'r Sarjant a'r ddau filwr y bore nesaf . . .

Chafodd y Sgweier ddim dod allan o'i guddfan am wythnos wedyn, ddim nes bod y clwyf ar ei ysgwydd wedi gwella'n llwyr. Ond flinodd e ddim ar ei guddfan dywyll — roedd cwmni ganddo fe yno'n aml, ac er bod ei wyneb ef yn welw pan ddaeth e allan o'r diwedd, roedd rhosynnau newydd ar fochau Catrin Emwnt.

Synnodd Lowri Pen Twyn ei weld e. Synnodd Siencyn yn fwy ei fod e'n gwisgo côt wahanol i'r un oedd ganddo fe'n mynd ar ei daith — ar ei geffyl Taran. Beth oedd wedi digwydd y noson fawr honno pan ddaeth Taran adref ar ei ben ei hun? Roedd llawer gan yr hen Siencyn i'w ddweud wrth y Sgweier, a llawer i'w ofyn hefyd, ond roedd digon o amser i hynny i gyd. Y peth mawr oedd yn plesio'r hen was nawr oedd gweld ei feistr yn edrych mor llawen a

dim hwy — *no longer*   cuddfan — *hiding place*
dim tamaid callach — *not a bit*
    the wiser

hapus. Doedd Siencyn ddim wedi ei glywed e'n chwerthin ers wythnosau. Dyn caled — creulon bron — gychwynnodd ar ei daith ryw bythefnos yn ôl, ond yr hen sgweier hapus, llawen, caredig ddaeth adref.

'O, mae'n dda eich gweld chi, syr, ac yn edrych mor hapus,' meddai Siencyn. 'Mae rhywbeth mawr wedi digwydd i chi, rydw i'n siŵr.'

'Rhywbeth mawr? Oes, Siencyn, y peth mwyaf yn fy mywyd.'

'O, syr, syr, dydych chi ddim yn mynd i briodi, ydych chi?'

'Siencyn! Sut roeddet ti'n gwybod?'

'Efallai fy mod i'n hen, syr, ond dydw i ddim yn dwp. Ac enw'r ferch, wrth gwrs, ydy . . . ydy Catrin Emwnt, Y Bedol. Ydw i'n iawn, syr?'

'Wyt, Siencyn, rwyt ti'n iawn. Ond sut roeddet ti'n gwybod?'

'Wel, syr, rhyngoch chi a fi'n dawel fach, fe ddaeth Taran adref ar ei ben ei hun, a doedd dim un lle arall ond Y Bedol lle roeddech chi'n gallu cuddio . . .'

'Cuddio?'

Caeodd Siencyn un llygad, ac roedd rhyw olwg gyfrwys ar ei wyneb.

'Rydych chi'n deall, syr. Rydw i'n deall hefyd, e? Ac fe dwyllais i'r hen Gapten yna. O, do . . .'

'Beth ddigwyddodd y noson honno, Siencyn?'

'Mae hi'n stori hir, syr, yn rhy hir i'w hadrodd nawr. Ond, syr, rydw i'n falch eich bod chi'n mynd i briodi, ac allech chi byth ddewis neb yn well na Catrin Y Bedol. Mae hi'n ferch dda . . . ac yn bert, syr. Fe fydd hi wrth ei bodd yma, ac yn help mawr i Lowri i redeg y lle yma . . .'

Roedd rhaid i'r Sgweier chwerthin. Roedd syniad Siencyn am Catrin fel morwyn fach i Lowri yn ddigri dros ben.

'Rydw i'n siŵr bydd y ddwy'n hapus iawn gyda'i gilydd yma, Siencyn, ond tyrd nawr, mae rhaid i mi gael golwg ar Taran. Dydw i ddim wedi ei weld e ers llawer dydd.'

allech chi byth ddewis — *you could* digri — *funny*
never choose

130

' Mae e wedi gwella ar ôl ei " annwyd ", syr.'

' Annwyd? '

' Dyna ran o'r stori. Fe gewch hi i gyd ryw ddydd, ond ddim nawr. Dewch i weld Taran . . . '

Dau fis yn ddiweddarach roedd priodas fawr yn yr eglwys yn Rhyd-y-waun, a'r wraig fwyaf balch yno oedd Siân Emwnt. Roedd ei breuddwyd hi wedi dod yn wir, a pharadwys Catrin yn baradwys real.

Fe glywodd Capten Prys am y briodas. Dim ond un sylw wnaeth e, —

' Wel, dyna ddiwedd yr Hebog. Mae rhywun ganddo fe nawr i'w gadw fe gartref gyda'r nos . . . '

priodas — *wedding*　　　　　sylw — *comment*

NODIADAU A CHYFIEITHIADAU
Notes and Translations

Page

8 **Roedd e'n gwybod mor bwysig oedd y Sgweier** — *He knew how important the Squire was.* Note the use of 'mor' (=*as, so*) expressing the adverb of degree 'how'.

9 **Roedd e'n synnu mor brydferth oedd hi** — *He was amazed how beautiful she was*

Roedd rhaid iddi hi gofio mai merch Siân Emwnt o dafarn Y Bedol oedd hi — *She had to remember that she was the daughter of Siân Emwnt of the Bedol inn.* Noun clause beginning with 'mai' showing emphasis, lit. *that the daughter of Siân Emwnt of the Bedol inn she was.*

10 **A dyna beth arall roedd Catrin yn ei gofio** — *And that was another thing that Catrin remembered.* Note the possessive adjective 'ei' in the adjectival clause 'roedd Catrin yn ei gofio'. There are many clauses of this kind in the text.

yr hen ŵr a gwraig oedd yn gofalu am y Sgweier — *the old man and wife who looked after the Squire.* Adjective clauses of this kind — 'oedd yn gofalu, etc.' — are introduced by the relative pronoun 'a' in full literary Welsh. In conversational Welsh the 'a' is rarely spoken.

Mae mwy o arian gan eich mam nag sy gen i — *Your mother has more money than I have*

Doedd y porthmon oedd yn gyrru gwartheg y Sgweier i Lundain ddim wedi dod yn ôl — *The drover that drove the Squire's cattle to London had not returned.* Adjective clause as above.

Roedd e wedi cael ei ddal gan ladron — *He had been caught by thieves.* English passive voice expressed by means of 'cael'

11 **Roedd Catrin yn gwybod yn dda fod cyfoeth Sgweier Pen Twyn i gyd yn ei wartheg** — *Catrin well knew that the Squire of Pen Twyn's wealth all lay in his cattle.* 'Fod cyfoeth Sgweier Pen Twyn etc.' is a noun clause using the 'bod' construction.

Roedd Catrin yn gwybod hefyd fod Sgweier Pen Twyn ddim wedi gofyn . . .'— *Catrin also knew that the Squire of Pen Twyn hadn't asked . . .* Note the use of 'ddim' with 'bod' to make a negative noun clause.

y rhenti roedd y ffermwyr yn eu talu iddo fe — *the rents the farmers paid him.* Adjective clause

Roedd e'n gwybod mor dlawd oedden nhw — *He knew how poor they were*

lit = literally.

133

Roedd ei mam wedi dweud wrthi hi lawer gwaith ei bod hi ddim yn gwybod — *Her mother had told her many times that she didn't know* . . . Negative noun clause again with 'bod' and 'ddim'

Wel, gobeithio bod Wil Dafis yn fwy gonest na'r hen borthmon — *Well, (she) hoped that Wil Dafis was more honest than the old drover.* Noun clause with 'bod'. 'Gobeithio' is often used without person or tense being noted — the verb noun is frequently used instead of a conjugated form.

os ydych chi mor dlawd — *if you are so poor.*

Pwy sy ddim wedi clywed amdano fe? — *Who hasn't heard of him?* 'Ddim' used to form the negative question.

Maen nhw'n dweud ei fod e'n ddyn tal a hardd — *They say he is a tall and handsome man.* 'ei fod e'n ddyn tal etc.' is a noun clause with 'bod'

a'i fod e'n gwisgo mwgwd am ei lygaid e — *and that he wears a mask over his eyes.* Noun clause with 'bod'

a'i fod e'n cario dau bistol bob amser — *and that he always carries two pistols.* Noun clause with 'bod'

Maen nhw'n dweud mai côt las sy ganddo fe bob amser — *They say that he always has a blue coat.* Noun clause introduced by 'mai' to show emphasis — that it is a blue coat he always has, and not a red one or any other colour

12 **Ond rydw i'n gobeithio na fydd yr Hebog ddim yn ymosod** — *But I hope the Hawk will not attack.* 'Na fydd yr Hebog etc.' is a negative noun clause containing the future tense of 'bod'

y llanc yna oedd yn mynd i ymosod arnoch chi — *that youth who was going to attack you.* 'oedd yn mynd etc.' is an adjective clause.

Fe wn i pa mor falch ydy hi o'r lle — *I know how proud she is of the place*

i ddweud wrth eich mam fy mod i'n dod yma i swper heno — *to tell your mother that I am coming here to supper tonight.* 'fy mod i etc.' — noun clause with 'bod'

13 **Efallai fod yna rywun** — *Perhaps there is someone.* Note 'bod' construction after 'efallai'

Fe ddyweda i wrth mam pan ddaw hi eich bod chi'n dod yma i swper heno — *I'll tell my mother when she comes that you are coming here to supper tonight.* 'eich bod chi'n dod etc.' — noun clause with 'bod'. Note also the concise forms 'fe ddyweda i' and 'ddaw' expressing the future tense.

14 **ar ôl i Thomas Telford ddangos sut** — *after Thomas Telford had shown how.* Note the construction after 'ar ôl' = i + subject + verb noun, and this construction expresses any tense of the verb

Roedd e'n gwybod bod llawer o deuluoedd bonheddig Cymru yn dal i fod yn babyddion o hyd — *He knew that many of Wales's aristocratic families still continued to be papists;* ' bod llawer etc.' noun clause with ' bod '. Note the use of ' dal ' giving the sense of ' to continue to be '. There are several examples of this use of the word in the text.

unrhyw babydd oedd yn ffoi o Loegr Elisabeth — *any papist that fled from Elizabeth's England.* ' oedd yn ffoi etc.' — adjective clause

15 **unrhyw Jacobiad oedd yn chwilio am le i guddio** — *any Jacobite that was looking for a place to hide.* ' oedd yn chwilio etc.' — adjective clause

disgynnydd yr hen babydd cyntaf oedd yn berchen ar y stad — *the descendant of the first old papist who owned the estate*

ei bod hi'n bosibl gwneud arian — *that it was possible to make money* — noun clause with ' bod '

dim ond iddo fe gael ei dalu digon — *as long as he was paid enough* (lit. ' only for him to be paid enough ')

Roedd yr Emwnt brynodd y lle — *the Emwnt that bought the place was . . .* The adjective clause ' brynodd y lle ' would be preceded by the relative pronoun ' a ' in literary Welsh

16 **mor falch oedd e o gael ei adnabod fel ' y sgweier '** — *how proud he was to be known as the Squire*

ond fe ofalodd Robert Vaughan ei fod e'n dilyn ffasiwn y Saeson — *but Robert Vaughan took care to follow (that he followed) the fashion of the English.* Noun clause with ' bod '

Mae'n wir ei bod hi, Siân, yn wraig ac yn feistres galed — *It is true that she, Siân, was a hard wife and mistress.* Noun clause with ' bod '

a bod tafod llym ganddi hi — *and that she had a sharp tongue.* Noun clause with ' bod '

ond roedd hi'n gofalu bod y Bedol yn lân — *but she took care that the Bedol was clean.* Noun clause with ' bod '

a bod gwelyau cyffyrddus a bwyd da yno —*and that there were comfortable beds and good food there.* Noun clause with ' bod '

17 **Roedd Siân yn· siŵr bod llawer o sofrenni melyn ganddo fe felly** — *Siân was sure that he therefore had many golden sovereigns.* Noun clause with ' bod '

os nad ydych chi'n mynd ymlaen gyda'r goets — *if you are not going on with the coach.* Negative adverb clause

Rydw i'n gofalu ei bod hi felly bob amser — *I take care that it is so always.* Noun clause with ' bod '

y wraig sy'n cadw'r lle — *the woman who keeps the place.* ' sy'n cadw etc.' — adjective clause

18 **Maen nhw'n dweud ei fod e'n eithaf gŵr bonheddig** — *They say he's quite a gentleman.* Noun clause with 'bod'

dyn sy'n gwisgo mwgwd ac yn cario dau bistol — *a man who wears a mask and carries two pistols.* 'sy'n gwisgo etc.' — adjective clause

Ddywedais i ddim bod ofn arna i — *I didn't say that I was afraid.* Noun clause with 'bod'

Mae'n amlwg eich bod chi'n falch — *It's obvious that you are glad.* Noun clause with 'bod'

eich bod chi'n agos at ben eich taith — *that you are near the end of your journey.* Noun clause with 'bod'

rydw i wedi clywed bod y lleidr pen-ffordd yma — *I have heard that this highwayman . . .* Noun clause with 'bod'

a'i fod e'n mynd â'u harian nhw i gyd — *and that he takes all their money.* Noun clause with 'bod'

Rydw i'n siŵr bod ofn arnoch chi hefyd — *I'm sure that you are afraid too.* Noun clause with 'bod'

19 **bawb sy yn y goets** — *all who are in the coach.* Adjective clause

rhywun a llond ei god o sofrenni melyn ganddo fe — *someone with his bag full of golden (yellow) sovereigns.*

Mae'n siŵr bod rhywun gyda chi — *It's certain that there's someone with you.* Noun clause with 'bod'

Fe ddywedais i ei fod e ddim yn hoffi porthmyn — *I said that he didn't like drovers.* Negative noun clause with 'bod' and 'ddim'

20 **Efallai ei fod e'n borthmon** — *Perhaps he's a drover.* 'Bod' construction after 'efallai'

Mae'n siŵr mai dyna ydych chi — *That's what you are for certain (It's certain that is what you are)* — Noun clause with 'mai'

pa mor fawr oedd y pwrs — *how big the purse was*

lle roedd e'n meddwl bod y lleidr yn sefyll — *where he thought the thief was standing.* Noun clause with 'bod'

y rhaff sy ar draws y ffordd — *the rope which is across the road.* Adjective clause

21 **i'r lleidr pen-ffordd fydd yn digwydd dod heibio** — *for the highwayman who happens to come by.* 'fydd yn digwydd etc.' — adjective clause containing future/present habitual tense of 'bod'

Dydych chi ddim yn disgwyl i mi ddweud hynny wrthoch chi — *You don't expect me to tell you that*

Mae'n siŵr eich bod chi'n eu cario nhw ar eich person — *It's certain that you carry them on your person.* Noun clause with 'bod'

Rydw i'n siŵr mai Hebog y Nos oedd y lleidr yna — *I'm sure that thief was the Night Hawk (that the Night Hawk was that thief).* Noun clause with 'mai' showing emphasis

136

fe ddywedsoch chi ein bod ni ddim ymhell o'r Bedol nawr — *you said that we were not far from the Bedol now.* Negative noun clause with ' bod ' and ' ddim '

Wel, gobeithio na ddaw e ddim — *Well, let's hope he won't come.* Negative noun clause containing present/future form ' ddaw ' (from ' dod ') and introduced by negative particle ' na '

From this point on translations only are given of the various clauses except where it is necessary to draw attention to a new kind of clause.

22 **a chasglu'r rhaff fawr hir roedd e wedi ei hongian rhwng dwy goeden** — *and gathered the big long rope that he had hung between two trees*

Mae rhaid bod y porthmon yna wedi cael arian da — *That drover must have had good money.* ' bod ' construction after ' rhaid '

23 **Mae'n siŵr eu bod nhw'n falch hefyd o aros** — *They too were certainly glad to stop.*

Roedd rhaid mai'r Hebog oedd e i Siân — *He must have been the Hawk to Siân*

nes bod y ceffyl wedi pasio'n ddigon pell — *until the horse had passed far enough.* ' bod ' construction after ' nes ' = ' until ', ' so that '

Fe gofiodd e fod pistol parod — dau efallai — gan y lleidr pen-ffordd — *He remembered that the highwayman had a ready pistol — two, perhaps*

24 **os hwn oedd y lleidr yn dod nawr** — *if he (this one) was the thief coming now*

Roedd e'n gwybod yn iawn ei bod hi'n rhy beryglus iddo fe — *He knew very well that it was too dangerous for him*

y tric roedd e wedi chwarae arno fe —*the trick he had played on him*

dychryn y ceffylau nes eu bod nhw'n cicio a sglefrio — *frightened the horses until they were kicking and sliding*

Lwc fod Twmi wedi dal ei afael — *(It was) lucky that Twmi had held on (had kept his hold)*

25 **dydw i ddim yn meddwl ei fod e wedi saethu i daro neb** — *I don't think he fired to hit anyone*

rydw i'n siŵr bod eisiau rhywbeth cryf ar Mr Prydderch — *I'm sure that Mr Prydderch needs something strong*

Rydw i'n mynd i weld ydy'r gyrrwr yn iawn — *I'm going to see if the driver is alright.* Indirect question introduced by ' if ' or ' whether ' in English, but by 'a' (rarely spoken) in Welsh. It is wrong to use ' os ' in this construction in Welsh

roedd yn amlwg ei fod e wedi dychryn yn fawr — *it was obvious that he had had a great fright (that he was greatly frightened)*

nes eich bod chi'n barod — *until you are ready*

137

26 **os nad oes neb i'w codi yma** — *if there isn't anyone to be picked up here*

nes bod y gyrrwr yn barod — *until the driver is ready*

Wrthi hi roedd e wedi dweud bod y fwled wedi sïo uwch ei ben — *To her he had said that the bullet had whizzed above his head*

Roedd hi ei hunan yn siŵr mai saethu i'r awyr wnaeth y lleidr pen-ffordd — *She herself was sure that the highwayman had fired into the air (that fire into the air did the highwayman)*

27 **rhywbeth fydd yn siŵr o blesio'r Sgweier** — *something that will surely please the Squire*

i ddweud ei fod e'n dod i swper — *to say he was coming to supper*

fe fydd e yma cyn bod dim yn barod — *he will be here before anything is ready.* ' bod ' construction after ' cyn '

y ferch brydferth yma oedd yn gwibio'n ôl a blaen — *this beautiful girl who was flitting to and fro*

i'r cwpwrdd mawr oedd yn sefyll yng nghornel y stafell — *to the big cupboard that stood in the corner of the room*

28 **a'r clustiau oedd yn barod i wrando ar ei stori am helynt y nos** — *and the ears that were ready to listen to his story of the night's excitement*

y bobl oedd yn aros dros nos — *the people who were staying over night*

mawr oedd y croeso gafodd e gan Siân Emwnt — *great was the welcome he got from Siân Emwnt*

Dyna'r stori gyntaf gafodd e — *that was the first story he got*

er bod y llais mwyaf cras a garw ganddo fe —*though he had the most harsh and rough voice.* ' er ' (' though ', ' although ') followed by ' bod ' construction

29 **ar ôl i ni eistedd wrth y bwrdd** — *after we have sat at the table*

Rydw i'n siŵr bod eisiau bwyd ar y Sgweier — *I'm sure the Squire is hungry*

Rydw i'n siŵr bod y cwsmeriaid i gyd wedi mynd erbyn hyn — *I'm sure all the customers have gone by now*

Mae'n rhyfedd bod y porthmon yna'n gwisgo'i het — *It's strange that that drover is wearing his hat*

Efallai fod twll ganddo fe yn ei ben — *Perhaps he has a hole in his head*

y sgwrs gafodd e gyda Catrin — *the chat he had with Catrin*

fe ddaeth yn amlwg iddi hi mai tynnu ei choes roedd y Sgweier — *it became obvious to her that the Squire was pulling her leg (that pulling her leg the Squire was)*

30 **y gyllell oedd ar y bwrdd o'i flaen** — *the knife which was on the table in front of him*

31 **Efallai fod un ganddo fe** — *Perhaps he had one*
   Rydw i'n siŵr mai'r dyn yna ydy'r Hebog — *I'm sure that that man is the Hawk*
   Roedd Sgweier Fychan yn teimlo ei bod hi'n hen bryd iddo fe — *Squire Fychan felt it was high time for him ...*

32 **roeddwn i'n meddwl mai dynion dewr oeddech chi'r porthmyn** — *I thought that you drovers were brave men (that brave men were you drovers)*
   nes bod y tatws a'r pethau'n neidio — *until (so that) the potatoes and things jumped (were jumping)*

33 **Alla i ddim eistedd gyda dyn sy ddim yn gwybod sut i ymddwyn yn iawn** — *I cannot sit with a man who doesn't know how to behave properly*
   Fe sylwodd y Sgweier a'r Capten fod yr het wedi ei phlannu'n dynn am ei ben e — *The Squire and the Captain noticed that the hat was planted tightly on his head*
   Mae rhaid bod pwysau mawr yn yr het yna — *There must have been a great weight in that hat*
   y ffordd roedd e'n ei chodi — *the way he picked it up*
   neu o leiaf fod yr het yn drymach na het gyffredin — *or at least that the hat was heavier than an ordinary hat*

34 **am rai o'r pethau digri oedd wedi digwydd iddo fe** — *about some of the funny things that had happened to him ...*
   fe sylwodd hi fod cymaint o frandi ag o fwyd yn mynd i lawr i fola mawr y porthmon — *she noticed that as much brandy as food went down into the drover's big belly*
   roedd pawb wedi anghofio bod y fath bethau ag ofn a thristwch yn y byd — *everyone had forgotten that there were such things as fear and sadness in the world*

35 **gwrando wnaeth pawb nes iddi hi ddod at y pennill** — *everyone listened until she came to the verse ...* Note the construction here after 'nes' (i + subject + verb noun) because the verb implied is in the simple past tense
   wedi iddo fe orffen — *after he had finished*
   er na ddywedodd e hynny'n ddigon uchel i Sam a Blodwen ei glywed e — *though he did not say it loud enough for Sam and Blodwen to hear (him)*
   Fe welodd y Sgweier fod rhaid iddo fe ddweud a gwneud rhywbeth — *The Squire saw that he had to say and do something*

36 **Fe ddododd y Capten ei law yn ei boced er bod golwg ddigon sarrug ar ei wyneb e o hyd** — *The Captain put his hand in his pocket though he had a surly enough look on his face all the time*
   Fe sylwodd y Sgweier — a'r Capten hefyd — mai at ei het yr aeth ei lygaid e ar unwaith — *The Squire — and the Captain too — noticed that it was to his hat his eyes went at once*

er bod rhaid iddyn nhw gael y lle yn daclus yn barod erbyn y bore — *though they had to get the place tidy ready for the morning*

Er ei fod e erbyn hyn yn hanner meddw — *Though he was by this time half drunk*

fe welodd Sam Prydderch fod hwyl y nos wedi dod i ben — *Sam Prydderch saw that the night's fun had come to an end*

Fe sylwodd y Sgweier fod ceffyl mawr du yn y stâl nesaf at ei farch ei hun — *The Squire noticed that there was a big black horse in the stall next to his own steed*

37 er ei fod e'n hanner meddw — *though he was half drunk*

Roedd rhaid ei fod e wedi pendwmpian — *He must have dozed off*

38 Efallai eich bod chi'n disgwyl rhywun arall — *Perhaps you were expecting someone else*

Ydych chi'n meddwl mai ffŵl ydw i? — *Do you think I'm a fool? (that a fool I am)*

er ei bod hi'n ddigon trwm i hynny — *though it was heavy enough for that*

39 Mae rhaid bod dau gorun iddi hi — *It must have two crowns (It must be that there are two crowns to it)*

41 y jwg mawr o ddŵr oedd ar fwrdd yn y ffenestr — *the big jug of water that was on a table in the window*

Rhyfedd na ddaeth e ar ôl yr holl sŵn a'r gweiddi — *Strange that he did not come after all the noise and shouting*

Mae'n siŵr ei fod e wedi clywed y sŵn — *He certainly heard the noise (It's certain that he had heard the noise)*

Fe ydy'r unig un allith fynd ar ôl y lleidr — *He's the only one who can go after the thief*

fod y Capten heb godi ar unwaith — *that the Captain hadn't got up at once.* Note the use of 'heb' here to express the negative — lit. *that the Captain was without getting up at once.* 'Heb' is frequently used in this way in Welsh, e.g., Mae e heb gael ei frecwast eto — *He hasn't had his breakfast yet*

Fe ddywedodd e y byddai fe'n dod ar eich ôl chi eto — *He said he would come after you again.* Noun clause containing the conditional tense of 'bod' introduced by particle 'y'. It is only when the verb in the noun clause is the present or imperfect tense of 'bod' that it is necessary to use the 'bod' construction.

Ond mae rhaid i mi ddweud na fyddwn i byth yn disgwyl iddo fe dorri i mewn i'r Bedol chwaith — *But I must say that I never would expect him to break into the Bedol either.* Negative noun clause containing the future conditional tense of 'bod'

Roeddwn i'n meddwl mai fan yna roedden nhw — *I thought they were there (I thought it was there that they were)*

140

42 **Does dim rhyfedd na thynsoch chi hi wrth y bwrdd** — *It's no wonder you didn't take it off at the table.* Negative noun clause containing simple past tense

nes bod y Capten yn siarad yn gas â chi — *until the Captain spoke crossly to you*

Rhyfedd na chawsoch chi boenau yn eich pen — *Strange you didn't have pains in your head*

Roedd hi'n lwcus fod y lleidr ddim wedi mynd â'i harian hi — *She was lucky that the thief didn't take her money*

43 **y lleidr ddaeth i mewn i'r stafell yma** — *the thief who came into this room*

Efallai eich bod chi'n iawn — *Perhaps you are right*

44 **Fe fyddech chi wedi gallu amddiffyn eich hunan yn well** — *You would have been able to defend yourself better*

Roedd arni hi eisiau gwybod oedd ceffyl Capten Prys yno o hyd — *She wanted to know if Captain Prys's horse was still there.* Indirect question

mai fe oedd yr Hebog ac mai fe oedd wedi dianc gyda'r arian — *that he was the Hawk and that it was he who had escaped with the money.*

45 **nes bod pawb yn y tŷ yn deffro** — *until everyone in the house awoke*

fe fyddai pawb yn disgwyl iddi hi fynd i ateb y drws — *everyone would be expecting her to go and answer the door*

Roedd y person oedd yn curo wrth y drws wedi dechrau gweiddi nawr — *The person who was knocking at the door had started to shout now*

46 **nes fy mod i'n gwybod yn iawn pwy sy yna** — *until I know for certain (rightly) who is there*

er bod y lleuad yn dal i daflu ei golau arian — *though the moon continued to throw (was still throwing) its silvery light*

Roedd yn amlwg o'u gwisg mai Gwŷr y Brenin oedden nhw — *It was obvious from their dress that they were King's Men (that King's Men they were)*

Efallai fod rhywun dierth wedi galw hyd yn oed yn y lle yma — *Perhaps some stranger had even called in this place*

47 **porthmon ydy e sy'n digwydd bod yn aros yma dros nos** — *he's a drover who happens to be staying here overnight*

48 **Ond efallai mai rhywbeth arall ydy ei enw iawn e** — *But perhaps his proper name is something else (that something else is his proper name)*

Roedd hi'n teimlo ei bod hi'n cael ei gadael allan yn yr oerfel — *She felt that she was being left out in the cold*

49 **Ydych chi'n meddwl y gallwn ni fynd yn ôl i'r gwely nawr?** — *Do you think we can go back to bed now?*

Ac rydw i'n meddwl y byddai'n well i chi fynd ar ei ôl e nawr — *And I think you had better go after him now*

fe fyddech chi wedi ei weld e — *you would have seen him*

os na welodd e chi neu'ch clywed chi gyntaf — *if he didn't see or hear you first .*

os nad ydy e'n cuddio yn rhywle — *if he isn't hiding somewhere*

Roedd rhyw syniad ganddo fe fod y wraig yma'n cael hwyl am ei ben e — *He had an idea that this woman was poking fun at him.* Note the idiom for ' poking fun ' (' cael hwyl ')

50 **Hoffwn i ddim bod yn ŵr i'r hen wrach yna —** *I wouldn't like to be that old witch's husband (husband to that old witch)*

un o'r ddau filwr oedd gyda'r Sarjant — *one of the two soldiers who were with the Sergeant*

Gobeithio na fydd dim rhaid i ni fynd yn ôl yna eto — *I hope we won't have to go back there again*

Fe allith yr Hebog yna fod yn cuddio yn rhywle — *That Hawk can be hiding somewhere*

51 **Mae rhaid bod y ceffyl wedi baglu —** *The horse must have stumbled*

roedd yn amlwg ei fod e wedi cael ei frifo'n ddrwg — *it was obvious that he had been injured (hurt) badly*

52 **Efallai mai hwn ydy'r Capten Prys yna roedden nhw'n sôn amdano** — *Perhaps this is that Captain Prys they were talking about*

Efallai ein bod ni wedi ei tharo hi'n lwcus wedi'r cwbl — *Perhaps we have struck it lucky after all*

53 **nes bod y lle yn crynu —** *until the place shook (was shaking)*

Rydw i'n meddwl fy mod i'n adnabod y llais yna — *I think I know that voice*

55 **Rydw i'n credu mai Capten Prys ydy'r dyn yma —** *I think this man is Captain Prys (that Captain Prys this man is)*

Rydw i'n ofni ei fod e — *I'm afraid he has*

Ond fe allwn ni weld yn well wedi i mi olchi'r crystyn gwaed — *But we can see better when I have washed this crust of blood*

Roedd e wedi'i siomi'n fawr nad Capten Prys oedd y marchog clwyfedig — *He was bitterly (greatly) disappointed that the wounded rider was not Captain Prys.* The emphasis is on Captain Prys, therefore Captain Prys follows immediately after ' nad '

ac er nad oedd ganddo fe lawer o ddiddordeb yn y Sgweier — *and though he hadn't much interest in the Squire*

56 **a'r peth cyntaf wnaeth hi oedd chwilio'n ofalus drwy'r pocedi —** *and the first thing she did was to search carefully through the pockets*

57 **Efallai fod calon ganddi hi wedi'r cwbl —** *Perhaps she had a heart after all*

Doedd golau'r canhwyllau ddim mor wan nad oedd e'n gallu gweld mor brydferth oedd y ferch — *The light from the candles wasn't so weak that he couldn't see how beautiful the girl was*

58 Roedden nhw'n siomedig hefyd nad yr Hebog oedd y marchog clwyfedig — *They were disappointed too that the wounded rider wasn't the Hawk*

59 dros gangen hen goeden oedd wedi syrthio ar draws y ffordd — *over the branch of an old tree which had fallen across the road*

Mae rhaid bod rhywun wedi fy nghario i yma — *Someone must have carried me here*

60 dydw i ddim yn meddwl iddo fe gael unrhyw niwed — *I don't think that he suffered (got) any harm*

61 nes bod eich clwyfau chi wedi gwella — *until your wounds have healed (are better)*

mae'n debyg ei bod hi yn y glaswellt — *it is probably in the grass* wedi iddi hi oleuo — *after it is light (has become light)*

nes ei fod e wedi gwella tipyn — *until he has improved a bit (got better)*

62 efallai y bydd e'n dechrau gwaedu eto — *perhaps he will start to bleed again*

63 Fe sy'n gorwedd ar y fainc ydy'r lleidr — *He who is lying on the bench is the thief*

yn ôl y wybodaeth gafodd e gan Siân — *according to the information he got from Siân*

yn ôl y wybodaeth sy gen i — *according to the information I have* os y dyn yma oedd yr Hebog — *if this man was the Hawk*

Roedd pawb yn dweud mai un beiddgar oedd yr Hebog — *everyone said that the Hawk was a daring one.* The emphasis is on ' un beiddgar '

nes ei fod e wedi cael eglurhad llawn — *until he had had a full explanation*

Efallai nad oedd e'n disgwyl gweld Gwŷr y Brenin yno — *Perhaps he wasn't expecting to see the King's Men there*

64 nes iddo fe gael yr hanes yn iawn ac yn llawn ganddo fe — *until he had the story correctly and fully from him*

Mae yna lawer o bethau nad ydw i ddim yn eu deall — *There are many things I don't understand*

mae'n ddigon amlwg na allith hwn ar y fainc yma ddim dianc chwaith — *it's obvious enough that this one on this bench can't escape either*

a'r twll roedd yr Hebog wedi ei wneud ynddi hi — *and the hole the Hawk had made in it*

65 Oeddech chi'n gwybod mai yn ei het e roedd yr arian? — *Did you know the money was in his hat?* The emphasis is on 'yn ei het e '

Roeddwn i'n gwybod nad fi oedd yr Hebog — *I knew that I wasn't the Hawk*

Efallai fod gennych chi eglurhad pellach — *Perhaps you have further explanation*

nes i mi gael eglurhad llawn ar bob dim sy wedi digwydd yn y tŷ yma heno — *until I have a full explanation for everything that has happened in this house tonight*

er nad ydw i'n gweld bod eisiau i mi roi unrhyw fath o eglurhad — *though I don't see that I need to give any sort of explanation*

pan feddyliais i mai'r peth gorau i mi ei wneud oedd chwilio lle roedd Sgweier Fychan yn byw — *when I thought that the best thing for me to do was to look for the place where Squire Fychan lived*

cyn i mi gael ateb — *before I got an answer*

er nad agorodd y person oedd yn byw yno mo'r drws — *though the person who lived there didn't open the door*

Mae rhaid ei fod e'n meddwl mai lleidr . . . oeddwn i — *He must have thought that I was a thief . . .* Emphasis on ' lleidr '

66 **fe fyddai hynny'n profi ei fod e wedi bod allan** — *that would prove that it had been out*

er i mi guro a churo wrth y drws — *although I knocked and knocked on the door*

ar ôl gweld nad oedd eich ceffyl gorau chi yn y stabal — *after seeing that your best horse wasn't in the stable*

67 **nes ei fod e wedi gwella** — *until he has recovered*

rywbeth fyddai'n sicr o brofi oedd y Capten yn dweud y gwir neu beidio — *something that was certain to prove whether the Captain was speaking the truth or not*

Dydw i ddim yn meddwl iddo fe gael digon o amser i guddio'r arian — *I don't think he had enough time to hide the money*

68 **Mae pawb yn gwybod nad chi ydy'r lleidr** — *Everyone knows you are not the thief*

wedi iddo fe orffen chwilio — *after he had finished searching*

69 **y tair streipen sy gennych chi ar eich llawes** — *the three stripes you have on your sleeve*

Cyn i'r Sarjant sylweddoli beth oedd yn digwydd — *Before the Sergeant realised what was happening*

70 **Mae'r ffaith ei fod e wedi dianc nawr yn ddigon i brofi hynny** — *The fact that he has escaped now is enough to prove that*

71 **er nad oedd arni hi mo eisiau'r milwyr yma o gwmpas y lle** — *though she didn't want these soldiers about the place*

72 **efallai y dewch chi ar draws rhywbeth arall** — *perhaps you'll come across something else*

am bopeth rydych chi wedi'i wneud heno — *for everything you have done tonight*

144

gobeithio na fyddwch chi'n anghofio talu am eich lle — *I hope you won't forget to pay for your place*

gobeithio na fydd neb yn curo wrth y drws yma eto heno — *I hope that no one will knock on this door again tonight*

73 Ac fe fydd yn well i chi ddiffodd y canhwyllau — *And you had better dout the candles*

nes iddo fe fynd yn ôl at ei fainc — *until he had gone back to his bench*

er bod y nos yn oer — *though the night was cold*

74 er ei bod hi'n siŵr ei bod hi wedi diffodd ei channwyll — *though she was sure that she had douted her candle*

fel roedd gennych chi i bopeth ddywedodd Capten Prys — *as you had for everything Captain Prys said*

75 er bod Capten Prys wedi dianc fel bydd dyn euog yn dianc — *although Captain Prys had fled as a guilty man flees*

wedi i Hebog y Nos ddechrau dychryn pawb yn yr ardal yma — *after the Night Hawk had begun to frighten everyone in this district*

76 Fe ddylwn i fynd i weld ydy'r Sgweier yn gysurus — *I ought to go to see if the Squire is comfortable.* Indirect question

Ac roedd rhywbeth arall roedd rhaid iddi hi ei ddweud wrtho fe — *And there was something else that she had to tell him*

77 Rydych chi'n cofio'r pistol roisoch chi i fi fel anrheg? — *You remember the pistol you gave me as a present?*

Y pistol roiais i i chi? — *The pistol I gave you?*

Mae'n debyg y bydd e'n gofyn cwestiynau i chi — *He'll probably be asking you questions*

Roeddwn i'n gwybod byddech chi'n mynd i stafell y Sgweier — *I knew you would go to the Squire's room*

Roedd rhaid i mi fynd i weld oedd e'n gysurus — *I had to go to see if he was comfortable.* Indirect question

78 Synnwn i ddim na fyddwch chi wedi hedfan cyn y bore — *I wouldn't be surprised (to see) that you have flown before the morning*

drwy'r ychydig oriau oedd ar ôl o'r nos — *through the few hours that remained of the night*

Gobeithio na fyddai ganddo fe ormod o gwestiynau i'w gofyn i'r Sgweier — *She hoped he wouldn't have too many questions to ask the Squire*

79 er na fyddai'r haul yn codi am awr neu ddwy eto — *though the sun wouldn't rise for another hour or two*

na deall un gair mae e'n ei ddweud — *nor understand one word he says*

Gobeithio na fydd sioc y dŵr oer yn ormod i chi — *I hope the shock of the cold water won't be too much for you*

145

80 **rydw i'n meddwl bod y dwymyn arno fe** — *I think he has the fever*
Roedd hi'n gobeithio ar yr un pryd na fyddai fe ddim yn dod —
She hoped at the same time that he wouldn't come

82 **nes iddi hi glywed sŵn traed y Sarjant** — *until she heard the sound
of the Sergeant's feet*

83 **ar ôl iddi hi fynd i lawr y grisiau** — *after she had gone downstairs*
er mai gwaith Twmi'r gwas oedd hynny fel arfer — *though that
was Twmi the servant's work as a rule*

84 **ac rydych chi wedi cuddio'r arian gafodd e neithiwr** — *and you
have hidden the money he got last night*

85 **O, rydw i'n dwp na sylweddolais i hynny ar y pryd** — *Oh, I'm
stupid (that) I didn't realise that at the time*
O, fe fues i'n ffŵl na feddyliais i am y peth — *Oh, I was a fool
I didn't think of the thing*
A'r stori yna wedyn fod y Sgweier wedi rhoi'r pistol i chi — *And
that story afterwards that the Squire had given you the pistol*

86 **y ffrae fwyaf uffernol na fu ei thebyg erioed o'r blaen** — *the most
hellish row that there never was its like before*
y ddau gysgadur oedd wedi bod yn cysgu mor braf — *the two
sleepers who had been sleeping so peacefully*
ei ddau was o filwr oedd ar eu traed erbyn hyn — *his two soldier
servants who were on their feet by now*
rhag ofn bod y diafol Hebog yna wedi eu dwyn nhw hefyd —
in case (for fear) that devil of a Hawk had stolen them too
pan welodd hi mai chwerthin roedd ei mam — *when she saw that
her mother was laughing*. Emphasis on ' chwerthin '
Mae rhaid ein bod ni'n dwy o'r un gwaed — *We two must be of
the same blood*

87 **ar ôl y gawod bupur gafodd e gan yr Hebog** — *after the pepper
shower he got from the Hawk*
Rydych chi'n siŵr mai llais y Capten glywsoch chi neithiwr — *You
are sure that it was the Captain's voice you heard last night*

88 **Oedd llais y dyn ddaeth i'ch stafell chi yr un fath â llais y Capten?**
— *Was the voice of the man who came to your room the
same as the Captain's voice?*
Fydda i ddim yn mynd nes fy mod i wedi tynnu'n lle yma'n rhacs —
*I shan't be going until I have torn this place to ribbons (pulled
this place to rags)*

89 **Mae'n wir na thynnodd e mo'r lle yn rhacs** — *It's true he didn't tear
the place to ribbons*
**Yr unig le na chwiliodd Sarjant Huws oedd ar berson Siân Emwnt
ei hunan** — *The only place Sergeant Huws didn't search was
on Siân Emwnt's own person*
i wybod na allai fe ofyn iddi hi dynnu ei dillad — *to know that he
couldn't ask her to take off her clothes*

146

roedd e'n amau'r dwymyn, yn amau bod twymyn arno fe o gwbl — *he doubted the fever, doubted that he had a fever at all*

nes iddo fe roi cefn ei law ar foch y Sgweier — *until he put the back of his hand on the Squire's cheek*

feddyliodd y Sarjant ddim mai nifer y blancedi roedd Siân Emwnt wedi eu rhoi ar y gwely . . . oedd achos yr holl chwys — *it never occurred to the Sergeant (the Sergeant didn't think) that the number of blankets Siân Emwnt had put on the bed . . . were the cause of all the sweat*

90 Roedd e'n meddwl y dylai pob gŵr bonheddig fod yn berchen ar bâr o bistolau — *He thought that every gentleman should be the owner of (should own) a pair of pistols*

Roedd y Sarjant yn gweld mai'r un stori oedd gan y ddau — *The Sergeant saw that both had the same story.* Emphasis on ' yr un stori '

91 yr holl wartheg yrrodd e a'i weision yr holl ffordd i'r ffair fawr yn Llundain — *all the cattle he and his servants drove all the way to the great fair in London*

wedi iddo fe gyrraedd pen ei daith — *when he reached (after he had reached) the end of his journey*

y rhan fwyaf o'r sofrenni melyn roedd yr Hebog wedi eu dwyn oddi arno fe — *most (the greater part) of the golden sovereigns the Hawk had stolen from him*

Roedd e'n gobeithio y byddai Siân Emwnt neu'r Sgweier yn gwneud rhyw fath o gamgymeriad — *He hoped that Siân Emwnt or the Squire would make some sort of mistake*

92 camgymeriad fyddai'n ddigon o brawf iddo fe gael mynd â'r Sgweier i'r ddalfa — *a mistake that would be proof enough for him to take the Squire to the lock up*

fe welodd mai gwastraff ar amser oedd aros dim hwy yn Y Bedol — *he saw that it was a waste of time to stay any longer in the Bedol*

roedd e'n siŵr y byddai'r Hebog yn ailddechrau ar ei waith — *he was sure the Hawk would restart his work*

Doedden nhw ddim yn siŵr na fyddai fe'n dod yn ôl unwaith eto — *They were not sure that he wouldn't come back once again*

Roedd yr ergyd gafodd e pan faglodd ei geffyl yn un ddrwg — *The blow he got when his horse stumbled was a bad one*

er nad gwaith oedd gweini arno fe, ond pleser — *though tending on him wasn't work, but pleasure.* Emphasis on ' gwaith '

93 fel y boddhad gaiff mam wedi geni ei phlentyn — *like the satisfaction a mother gets after the birth of her child*

94 y llawenydd na ddaw i ferch ond unwaith yn ei bywyd — *the happiness that comes to a girl but once in her lifetime.* Note the negative form of the adjective clause in Welsh

moment na fyddai hi byth yn ei hanghofio — *a moment that she would never forget*

Dwêd dy fod yn fy ngharu i hefyd — *Say that you love me too*

96 er bod ei phryder hi am y Sgweier wedi cilio — *though her anxiety for the Squire had receded*

97 Mae'n debyg na fydd Lowri yn fy nisgwyl i — *Lowri will probably not be expecting me*

98 yr arian oedd yn ei gôt fawr — *the money that was in his greatcoat*

99 Ac efallai y bydd eisiau help arnoch chi — *And perhaps you will need help*

dyn oedd mor garedig ac mor llawen fel arfer — *a man who was usually so kind and so cheerful*

101 y Saeson oedd yn berchen ar stadau o gwmpas — *the English who owned estates around*

Tybed oedd y Sgweier wedi anghofio am Sam Prydderch a'i arian? — *Had the Squire forgotten about Sam Prydderch and his money?*

Roedd hi wedi clywed am bobl oedd wedi colli eu cof — *She had heard of people who had lost their memory*

102 Tybed oedd hynny wedi digwydd i'r Sgweier hefyd? — *Had that happened to the Squire as well?*

Efallai mai dyna oedd y rheswm — *Perhaps that was the reason*

gofynnodd Catrin oedd yn aros am y plât i'w sychu — *asked Catrin who was waiting to dry the plate (waiting for the plate to dry it)*

103 Does dim rheswm felly pam nad wyt ti'n gallu cysgu'n iawn — *There's no reason therefore why you can't sleep well*

er iddo fe ymadael mor sydyn — *though he left so suddenly*

104 er mai gwaith caled oedd cael y geiriau allan — *though it was hard work getting the words out*

er y dylwn i wybod bod Sgweier Fychan yn wahanol i'r rhan fwyaf ohonyn nhw — *though I ought to know that Squire Fychan is different from most of them*

106 popeth wnaeth hi noson yr helynt mawr — *everything she did on the night of the great excitement*

107 Rwyt ti'n meddwl nad wyt ti'n ddigon da iddo fe — *You think you are not good enough for him*

Hen leidr o borthmon oedd yn barod i dwyllo'i fam — *A thieving old drover who was ready to deceive his mother*

108 teulu sy wedi gweithio'n galed am bob un geiniog sy gen i nawr — *a family that has worked hard for every single penny that I now have*

a phopeth sy arni hi ddwywaith drosodd — *and everything that's on it twice over*

148

nes bod y llwch a'r baw yn codi yn gawodydd dros bob man — *until (so that) the dust and dirt rose in showers over everywhere*

109 Roedd y bobl gyfoethog oedd yn teithio yn eu cerbydau eu hunain . . . yn cario cyfoeth mawr — *The rich people who travelled in their own carriages . . . carried great wealth*

Fe wyddai Sarjant Huws yn ddigon da . . . fod rhaid ei ddal e yn yr act — *Sergeant Huws knew well enough . . . that he had to catch him in the act*

110 a phobl gyfoethog eraill oedd yn codi rhenti uchel — *and other rich people who charged high rents*

a hynny achos bod ei merch hi wedi troi ei chefn arno fe — *and that because her daughter had turned her back on him*

Roedd Siân yn siŵr na fyddai Catrin yn troi ei chefn arno fe yr ail waith — *Siân was sure Catrin wouldn't turn her back on him the second time*

Roedd yr hyn ddywedodd ei mam wrthi hi am deulu'r Sgweier wedi newid y darlun — *What (That which) her mother had told her about the Squire's family had changed the picture*

112 er bod ar ei wyneb ryw olwg galed — creulon bron — nad oedd yno rai wythnosau'n ôl — *though there was on his face a hard look — almost cruel — that wasn't there some weeks ago*

roedd sôn bod yr Hebog wedi ymosod ar y goets — *there was news that the Hawk had attacked the coach*

113 cerbyd y teulu ariannog fyddai'n aros dros nos yn Y Bedol — *the carriage of the moneyed family that would be staying overnight at the Bedol*

Roedd e'n gobeithio na fyddai neb yn cael niwed — *He hoped no one would get hurt (have harm)*

Wyddai'r lleidr pen-ffordd ddim mai dim ond dau ddyn oedd yn y cerbyd a bod dau farchog y tu ôl iddo fe — *The highwayman didnt know that there were only two men in the carriage and that there were two riders behind it*

114 y marchog neu'r marchogion oedd yn ei ddilyn — *the rider or riders who were following him*

Doedd e ddim yn siŵr oedd y fwled yn ei ysgwydd neu beidio — *He wasn't sure whether the bullet was in his shoulder or not*

at y person oedd yn gwybod ei gyfrinach yn barod — *to the person who already knew his secret*

Tybed fyddai Siencyn yn ddigon call i guddio Taran — *Would Siencyn be wise enough to hide Taran*

117 Roedd y Capten yn siŵr mai yma roedd yr Hebog wedi ffoi — *The Captain was sure that it was here the Hawk had fled*

Ond cofiwch fod annwyd arno fe — *But remember he has a cold*

118 **Rydych chi'n siŵr nad oes dim cyfrwy arall gan Sgweier Fychan?** —
You are sure Squire Fychan has no other saddle?
On'd ydw i wedi dweud ei fod e'n dlawd? — *Haven't I said that he
is poor?* Negative question

120 **rhag ofn ei fod e'n cuddio yma yn rhywle** — *in case he is hiding
here somewhere*

121 **Fe arhosodd y ddau oedd ar gefn ceffylau y tu allan i'r Bedol** —
The two that were on horseback stopped outside the Bedol

122 **a'r cyfan mae hi wedi'i wneud ydy torri ychydig ar y cnawd** — *and
all it has done is to break a little of the flesh*

124 **y dyn oedd yma yr un pryd â chi y tro diwethaf** — *the man who was
here the same time as you on the last occasion (the last time)*
y Robin Hood oedd yn ymosod ar y cyfoethog — *the Robin Hood
that attacked the rich*
Roedd e'n gwybod nad oedd e'n gallu profi dim — *He knew he
couldn't prove anything*

125 **Pan welodd y Capten fod dim prawf pendant ganddo fe** — *When
the Captain saw he had no definite proof*
ar ôl clywed mai Saeson cyfoethog fyddai yn y cerbyd — *after
hearing that rich English (people) would be in the carriage*
Dyna'r peth callaf wnest ti erioed yn dy fywyd, Catrin — *That was
the most sensible thing you ever did in your life, Catrin*

128 **roedd hi'n ddigon amlwg i Siân nad oedd e wedi cael dim lwc i fyny
ym Mhen Twyn** — *it was plain enough to Siân that he hadn't
had any luck up at Pen Twyn*

129 **nes bod y clwyf ar ei ysgwydd wedi gwella'n llwyr** — *until the
wound on his shoulder was completely mended (healed)*
côt wahanol i'r un oedd ganddo fe yn mynd ar ei daith — *a different
coat from the one he had setting out on his journey*
**Y peth mawr oedd yn plesio'r hen was nawr oedd gweld ei feistr
yn edrych mor llawen a hapus** — *The great thing that pleased
the old retainer (servant) now was to see his master looking
so cheerful and happy*